CROISADE
EN BIRMANIE

DU MÊME AUTEUR
AUX PRESSES DE LA CITÉ

N° 1 S.A.S. À ISTANBUL
N° 2 S.A.S. CONTRE C.I.A.
N° 3 S.A.S. OPÉRATION APOCALYPSE
N° 4 SAMBA POUR S.A.S.
N° 5 S.A.S. RENDEZ-VOUS À SAN FRANCISCO
N° 6 S.A.S. DOSSIER KENNEDY
N° 7 S.A.S. BROIE DU NOIR
N° 8 S.A.S. AUX CARAÏBES
N° 9 S.A.S. À L'OUEST DE JÉRUSALEM
N° 10 S.A.S. L'OR DE LA RIVIÈRE KWAÏ
N° 11 S.A.S. MAGIE NOIRE À NEW YORK
N° 12 S.A.S. LES TROIS VEUVES DE HONG-KONG
N° 13 S.A.S. L'ABOMINABLE SIRÈNE
N° 14 S.A.S. LES PENDUS DE BAGDAD
N° 15 S.A.S. LA PANTHÈRE D'HOLLYWOOD
N° 16 S.A.S. ESCALE À PAGO-PAGO
N° 17 S.A.S. AMOK À BALI
N° 18 S.A.S. QUE VIVA GUEVARA
N° 19 S.A.S. CYCLONE À L'ONU
N° 20 S.A.S. MISSION À SAÏGON
N° 21 S.A.S. LE BAL DE LA COMTESSE ADLER
N° 22 S.A.S. LES PARIAS DE CEYLAN
N° 23 S.A.S. MASSACRE À AMMAN
N° 24 S.A.S. REQUIEM POUR TONTONS MACOUTES
N° 25 S.A.S. L'HOMME DE KABUL
N° 26 S.A.S. MORT À BEYROUTH
N° 27 S.A.S. SAFARI À LA PAZ
N° 28 S.A.S. L'HÉROÏNE DE VIENTIANE
N° 29 S.A.S. BERLIN CHECK POINT CHARLIE
N° 30 S.A.S. MOURIR POUR ZANZIBAR
N° 31 S.A.S. L'ANGE DE MONTEVIDEO
N° 32 S.A.S. MURDER INC. LAS VEGAS
N° 33 S.A.S. RENDEZ-VOUS À BORIS GLEB
N° 34 S.A.S. KILL HENRY KISSINGER !
N° 35 S.A.S. ROULETTE CAMBODGIENNE
N° 36 S.A.S. FURIE À BELFAST
N° 37 S.A.S. GUÊPIER EN ANGOLA
N° 38 S.A.S. LES OTAGES DE TOKYO
N° 39 S.A.S. L'ORDRE RÈGNE À SANTIAGO
N° 40 S.A.S. LES SORCIERS DU TAGE
N° 41 S.A.S. EMBARGO
N° 42 S.A.S. LE DISPARU DE SINGAPOUR
N° 43 S.A.S. COMPTE À REBOURS EN RHODÉSIE
N° 44 S.A.S. MEURTRE À ATHÈNES
N° 45 S.A.S. LE TRÉSOR DU NÉGUS
N° 46 S.A.S. PROTECTION POUR TEDDY BEAR
N° 47 S.A.S. MISSION IMPOSSIBLE EN SOMALIE
N° 48 S.A.S. MARATHON À SPANISH HARLEM
N° 49 S.A.S. NAUFRAGE AUX SEYCHELLES
N° 50 S.A.S. LE PRINTEMPS DE VARSOVIE
N° 51 S.A.S. LE GARDIEN D'ISRAËL
N° 52 S.A.S. PANIQUE AU ZAÏRE
N° 53 S.A.S. CROISADE À MANAGUA
N° 54 S.A.S. VOIR MALTE ET MOURIR
N° 55 S.A.S. SHANGHAÏ EXPRESS
N° 56 S.A.S. OPÉRATION MATADOR
N° 57 S.A.S. DUEL À BARRANQUILLA

Nº 58 S.A.S. PIÈGE À BUDAPEST
Nº 59 S.A.S. CARNAGE À ABU DHABI
Nº 60 S.A.S. TERREUR À SAN SALVADOR
Nº 61 S.A.S. LE COMPLOT DU CAIRE
Nº 62 S.A.S. VENGEANCE ROMAINE
Nº 63 S.A.S. DES ARMES POUR KHARTOUM
Nº 64 S.A.S. TORNADE SUR MANILLE
Nº 65 S.A.S. LE FUGITIF DE HAMBOURG
Nº 66 S.A.S. OBJECTIF REAGAN
Nº 67 S.A.S. ROUGE GRENADE
Nº 68 S.A.S. COMMANDO SUR TUNIS
Nº 69 S.A.S. LE TUEUR DE MIAMI
Nº 70 S.A.S. LA FILIÈRE BULGARE
Nº 71 S.A.S. AVENTURE AU SURINAM
Nº 72 S.A.S. EMBUSCADE A LA KHYBER PASS
Nº 73 S.A.S. LE VOL 007 NE RÉPOND PLUS
Nº 74 S.A.S. LES FOUS DE BAALBEK
Nº 75 S.A.S. LES ENRAGÉS D'AMSTERDAM
Nº 76 S.A.S. PUTSCH A OUAGADOUGOU
Nº 77 S.A.S. LA BLONDE DE PRÉTORIA
Nº 78 S.A.S. LA VEUVE DE L'AYATOLLAH
Nº 79 S.A.S. CHASSE A L'HOMME AU PÉROU
Nº 80 S.A.S. L'AFFAIRE KIRSANOV
Nº 81 S.A.S. MORT A GANDHI
Nº 82 S.A.S. DANSE MACABRE A BELGRADE
Nº 83 S.A.S. COUP D'ÉTAT AU YEMEN
Nº 84 S.A.S. LE PLAN NASSER
Nº 85 S.A.S. EMBROUILLES A PANAMA
Nº 86 S.A.S. LA MADONE DE STOCKHOLM
Nº 87 S.A.S. L'OTAGE D'OMAN
Nº 88 S.A.S. ESCALE À GIBRALTAR

L'IRRÉSISTIBLE ASCENSION DE MOHAMMAD REZA, SHAH D'IRAN
LA CHINE S'ÉVEILLE
LA CUISINE APHRODISIAQUE DE S.A.S
PAPILLON ÉPINGLÉ
LES DOSSIERS SECRETS DE LA BRIGADE MONDAINE
LES DOSSIERS ROSES DE LA BRIGADE MONDAINE

AUX ÉDITIONS DU ROCHER

LA MORT AUX CHATS
LES SOUCIS DE SI-SIOU

AUX ÉDITIONS GÉRARD DE VILLIERS

Nº 89 S.A.S. AVENTURE EN SIERRA LEONE
Nº 90 S.A.S. LA TAUPE DE LANGLEY
Nº 91 S.A.S. LES AMAZONES DE PYONGYANG
Nº 92 S.A.S. LES TUEURS DE BRUXELLES
Nº 93 S.A.S. VISA POUR CUBA
Nº 94 S.A.S. ARNAQUE À BRUNEI
Nº 95 S.A.S. LOI MARTIALE À KABOUL
Nº 96 S.A.S. L'INCONNU DE LENINGRAD
Nº 97 S.A.S. CAUCHEMAR EN COLOMBIE

LE GUIDE S.A.S. 1989

GÉRARD DE VILLIERS

CROISADE EN BIRMANIE

Photo de la couverture : Michel MOREAU

© Éditions Gérard de Villiers, 1990.

ISBN : 2 - 7386 - 0102 - 2

ISSN : 0295 - 7604

CHAPITRE PREMIER

Les trois garçons et la fille avançaient lentement, protégés par la brume légère qui flottait sur les collines couvertes de jungle surplombant le col des Trois Pagodes. La piste qu'ils suivaient dominait, au nord, la route défoncée menant à Sangkhlaburi, première bourgade thaïlandaise après la Birmanie. La frontière entre les deux pays étant quasiment fermée depuis des années, sauf au trafic local, peu de véhicules s'aventuraient sur la route à peine praticable où seuls des 4 × 4 pouvaient passer.

Le garçon qui était en tête s'arrêta quelques instants, observant, à plus d'un kilomètre en contrebas, le poste-frontière de Phra Chedi Sam Ong. Quelques soldats y contrôlaient le trafic routier presque inexistant, se gardant bien de patrouiller la jungle épaisse et accidentée qui les cernait, moutonnant à l'infini, trouée d'un labyrinthe de pistes secrètes taillées au coupe-coupe. Les contrebandiers y faisaient la loi, bien mieux armés que l'armée régulière, poursuivant leur activité aussi clandestine que lucrative : la Thaïlande regorgeait de marchandises et on manquait de tout en Birmanie.

Après une courte halte silencieuse, le petit groupe repartit, progressant péniblement sur le sol inégal, économisant leur souffle et leur énergie. La fille prit la tête, différenciée de ses compagnons uniquement par ses longs cheveux noirs noués en chignon autour d'un peigne, sur la nuque. Comme eux, elle portait une chemise et un *longyi* (1), avait les pieds chaussés de sandales en plastique. Tous les quatre portaient, accroché à l'épaule, un sac de lainage multicolore où s'entassaient les vivres – poisson séché, bananes et boules de riz – et quelques vêtements de rechange. Ils avaient quitté Rangoon dix jours plus tôt, et s'étaient arrêtés un jour à Ye, distante de la frontière à vol d'oiseau d'une soixantaine de kilomètres, afin de reprendre des forces avant la dernière étape : de la jungle accidentée, infestée de moustiques porteurs de malaria, de serpents et de champs de mine posés par l'armée birmane. Ils avaient mis trois jours pour parcourir cette étape, tremblant d'être interceptés par une patrouille, harcelés par les moustiques, ne buvant qu'un peu d'eau saumâtre. Et toujours monter et descendre les collines qui ne semblaient jamais finir. Ma Don, la fille, avançait comme un automate, raide d'épuisement. Tous savaient ce qui les attendait s'ils étaient pris. Les Rangers de l'armée birmane les massacreraient sur place ou les emmèneraient plus au nord pour servir de démineurs dans leur lutte contre les rebelles Karens. Ceux-ci occupaient un territoire assez vaste et très difficile d'accès, à la frontière de la Birmanie et de la Thaïlande, plus au nord.

Essoufflée, Ma Don s'arrêta, rejointe aussitôt par les trois garçons. On leur aurait donné quinze ans, mais ils en avaient vingt-cinq. Le regard fixe, les traits creusés, brûlant de fièvre, ils étaient à bout. Le plus jeune, Kyaw Zaw, se laissa tomber à terre et murmura :

– Nous sommes encore loin?

– Non, affirma Yé-Wé, le chef du groupe. Le village abandonné est sur la prochaine crête. Il doit rester environ une demi-heure de marche. Encore un effort.

Sa voix tremblait d'épuisement. Lorsqu'il était étudiant, il ne faisait pas de sport. La répression du

---

(1) Sorte de robe descendant aux chevilles, nouée à la taille par un gros nœud. Vêtement traditionnel birman pour les hommes et les femmes.

mouvement de démocratisation lancé en 1988 l'avait jeté dans la résistance, puis la clandestinité. Mais, à l'intérieur de la Birmanie, la lutte était trop inégale. Il fallait se battre de l'extérieur, trouver de l'aide à l'étranger. Sinon son malheureux pays risquait de rester fermé au monde pour des années encore. Comme l'avait été la Roumanie de Ceaucescu.

Yé-Wé leva la tête vers la cime des arbres. La brume se dissipait sous les rayons du soleil. Pourtant, il faisait encore presque frais, car ils se trouvaient à plus de mille mètres d'altitude.

Yé-Wé en tête, balayant de son coupe-coupe les branches qui les gênaient, ils repartirent. Le silence était absolu, à part quelques cris d'oiseaux. Tous priaient pour ne pas tomber dans une embuscade. Les Rangers birmans s'aventuraient parfois dans cette zone, avec la complicité des autorités thaïs.

A la queue de la colonne, Ma Don glissa et se rattrapa de justesse à une liane coupante. Ils continuè-rent à crapahuter d'interminables minutes, zigzaguant au flanc de la colline pour atteindre une sorte de plateau dominé par un énorme banian.

Une exclamation de Yé-Wé fit soudain sursauter Ma Don. Elle le rejoignit. Devant eux, la jungle s'éclaircis-sait et on distinguait les ruines de plusieurs maisons en bambou envahies par la végétation, encerclant une sorte de clairière. Une jeep, sans personne au volant, était arrêtée au milieu. Ils hâtèrent le pas : au moment où Yé-Wé atteignait le véhicule, une silhouette surgit de derrière une maison en ruine et vint vers eux. Un Blanc en jeans et chemisette, avec de grosses lunettes, une moustache tombante et un long nez pointu. Il étreignit Yé-Wé.

– Je pensais que vous n'arriveriez jamais!

Un à un, il les serra tous dans ses bras, terminant par Ma Don. La jeune femme se jeta dans ses bras, sans un mot. Tremblant de tout son corps. En birman, elle murmura :

– C'était très dur.

George Kearod, bien qu'américain, parlait parfaitement leur langue. Les trois garçons se laissèrent tomber à terre, appuyés à la jeep, prêts à s'endormir sur place. Kyaw Zaw essaya de mâcher un peu de riz, mais son gosier asséché par la poussière refusait toute nourriture et il dut le recracher.

Yé-Wé prit par l'épaule l'autre garçon et dit à George Kearod :

– Voilà Tim-Yo, mon frère. Il a suivi des cours militaires chez les Karens et maintenant, il sait se servir des explosifs.

– Bravo, approuva George Kearod.

Il leur tendit une gourde. L'eau était tiède, probablement bourrée d'amibes, mais elle parut délicieuse aux jeunes Birmans. George Kearod sortit ensuite de sa poche une tablette de chocolat qu'il mit dans la main de Yé-Wé.

– Mange, tu dois reprendre des forces.

– Qu'est-ce que c'est?

– Du chocolat.

L'étudiant regarda la plaquette marron et la flaira, inquiet.

– Ça se mange?

George Kearod hocha la tête, amusé. Il avait oublié que le chocolat était inconnu en Birmanie, et que Yé-Wé n'était jamais sorti de son pays. Difficile d'expliquer ce que c'était.

Ma Don s'approcha timidement :

– Je peux en avoir?

– Bien sûr!

George Kearod lui tendit une seconde plaque qu'elle se mit à dévorer. Il avait fait la connaissance de tous les leaders étudiants, un an et demi plus tôt, en août 1988. La population birmane tout entière, menée par les étudiants, avait tenté de secouer le joug de la dictature militaire du général Ne Win, qui maintenait son emprise sur le pays depuis le putsch de 1962.

Tout l'été 88, les Birmans avaient manifesté dans les rues de Rangoon, tandis que le pouvoir semblait reculer. Pendant vingt-six jours même, du 24 août au 18 septembre, le pays avait connu un semblant de liberté. Puis, le 18 septembre, l'armée s'était déchaînée, tirant à vue dans la foule, massacrant près de trois mille personnes. Les leaders étudiants qui avaient survécu, traqués par une répression féroce, avaient plongé dans la clandestinité. George Kearod avait caché chez lui Ma Don pendant plus de deux semaines. Ensuite, la vie avait repris sans grand bouleversement. Sous la férule du général Saw Maung, surnommé « le boucher de Rangoon ». Le nouveau gouvernement avait changé le nom du pays en « Union de Myanma(1) », et continué à traquer les contestataires.

George Kearod avait réussi à garder le contact avec ses amis étudiants. Surtout Yé-Wé et Ma Don avec qui il avait eu une brève aventure pendant qu'elle était réfugiée chez lui.

En vue des élections de mai 1990 promises par la Junte, les étudiants essayaient de regrouper les opposants autour de la Ligue pour la Démocratie. George Kearod qui partageait son temps entre Rangoon et Bangkok, les aidait de son mieux. Il avait d'ailleurs revu régulièrement Ma Don qui se cachait au milieu des trois millions et demi d'habitants de Rangoon.

Leurs regards se croisèrent. En dépit de la longue randonnée, elle était encore très désirable, avec son ravissant visage triangulaire, sa petite poitrine courageuse et sa croupe ronde moulée par le longyi, taché et déchiré.

– Ça a été dur à Rangoon depuis mon départ ? demanda George.

– Il faut se cacher tout le temps, fit Ma Don. Heureusement que les bonzes de *Red Eagle* nous aident. Nous finirons par gagner.

Yé-Wé, Ma Don et leurs amis militaient dans la « National League for Democracy », parti formé par Aung San Suu-Kyi, la fille du fondateur de la Birmanie

(1) Ancien nom des Birmans.

indépendante, revenue en avril 1988 dans son pays.
Bête noire de la dictature, en raison de son charisme et
de son aura internationale, assignée à résidence surveillée et coupée du monde. Les étudiants étaient horriblement isolés. Coincés entre le Bengladesh dont les habitants, morts de faim, se souciaient peu de leurs voisins
de l'Est, la Thaïlande qui détestait les Birmans et la
Chine dont le gouvernement, félicité par Ne Win pour
sa répression de la place Tien An Men, avait applaudi
aux massacres de septembre.

Yé-Wé et Tim-Yo s'étaient accroupis à l'écart pour
grignoter leur chocolat. Kyaw Zaw dormait, la bouche
ouverte. George posa une main possessive sur la hanche
de Ma Don.

– Tu es toujours très belle, tu sais!

La jeune étudiante baissa les yeux. Horriblement
intimidée. Les Birmans flirtaient pendant des mois
avant de se décider à faire l'amour. Avec les étrangers,
c'était différent. Eux n'hésitaient pas à se conduire
d'une façon inouïe pour un Birman. Ma Don était
seulement fière d'avoir été initiée par ce *Kala-pyu* (1)
qui lui avait appris à prendre et à donner du plaisir. Le
contact de sa main la troublait. Après la tension de ces
dernières semaines, elle éprouvait un besoin impérieux
de retrouver des choses agréables.

– On peut repartir pour Bangkok, maintenant, sug-
géra-t-elle. Nous dormirons dans la voiture.

Elle avait hâte de se laver, et de se détendre.

– Il faut attendre un peu, dit George Kearod. L'armée thaïlandaise patrouille la zone entre la frontière et
Sangkhlaburi depuis hier. A la recherche de clandestins
comme vous. Les Birmans ont arraisonné des pêcheurs
thaïs dans le sud. Ils offrent à la Thaïlande de les
échanger contre des étudiants...

Ma Don se décomposa.

– Mon Dieu, qu'est-ce qu'on va faire?

George Kearod lui adressa un sourire rassurant.

---

(1) *Kala* : étranger. *Kala-pyu* : étranger à la peau blanche.

– N'aie pas peur. Demain, ils seront partis. J'ai des informations. Nous pourrons gagner Bangkok.

– Nous devons rencontrer des gens de l'ambassade américaine, précisa Ma Don. C'est urgent.

– Bien sûr, bien sûr, admit George. Mais il ne faut pas vous faire prendre. Ce serait trop bête.

Les deux frères s'étaient rapprochés et écoutaient en silence. Visiblement déçus. Yé-Wé, surtout, accusait le coup. Il avait envie de pleurer. Après cette semaine de dangers, il croyait toucher au but. George lui entoura les épaules de son bras.

– Ne te décourage pas! dit-il en birman. Je vais vous conduire tous les quatre dans une pagode abandonnée où vous pourrez passer la journée d'aujourd'hui et la nuit. Demain matin, je viendrai vous chercher et cette fois, nous prendrons la route de Bangkok. Il ne faut pas rester trop longtemps ici, venez.

Il avait un tel ascendant sur eux qu'ils montèrent dans la jeep sans un mot, jetant leurs sacs sur le plancher. Les trois garçons derrière et Ma Don devant.

George s'enfonça dans un sentier à peine tracé qui serpentait à travers la jungle. Au bout de quelques minutes, ils ne surent plus où ils se trouvaient, montant et descendant à travers les collines, n'ayant aucun point de repère. Ils étaient souvent obligés de se baisser pour ne pas être griffés par les branches. Quand ils se retournaient, ils ne voyaient que le moutonnement vert à perte de vue. Le brouillard avait fini de se lever et le soleil tapait sur leurs épaules à travers le mince tissu de leurs chemises. Les garçons étaient tellement épuisés qu'ils somnolaient, appuyés les uns aux autres, sans souci des cahots.

La jeep ne dépassait pas le vingt à l'heure, suivant des pistes qui s'enchevêtraient dans la jungle, mais George Kearod semblait parfaitement savoir où il allait. Ils redescendirent dans une vallée, suivant un petit ruisseau. Ma Don demanda à George d'arrêter et alla se laver dans le ruisseau, sans ôter son longyi. Bien que ne portant jamais rien dessous, les Birmanes étaient extrêmement pudiques. Puis les arbres s'espacèrent et ils aperçurent un peu en retrait, à travers les arbres, le cône blanchâtre d'une pagode rongée par l'humidité et envahie par les lianes. Dieu sait pourquoi on l'avait construite dans cet endroit isolé! Tout autour, la plate-forme en pierre était recouverte d'herbe et les têtes des statues manquaient, volées sûrement par les contrebandiers. Des essaims de mouches bourdonnaient au soleil, se déplaçant en nuages épais.

Quand George arrêta la jeep, un serpent s'enfuit dans les hautes herbes et Ma Don poussa un cri de terreur. George lui posa la main sur la cuisse.

— N'aie pas peur!

Derrière, les garçons s'ébrouaient. Ils descendirent du véhicule et gagnèrent le terre-plein autour de la pagode. Visiblement George était déjà venu là. Il pénétra sous des arcades entourant l'espace où se trouvait un bouddha en pierre blanche et jeta à terre plusieurs couvertures et une natte.

— Voilà, vous serez très bien ici jusqu'à demain!

La fraîcheur sous les arcades contrastait agréablement avec la chaleur torride de l'extérieur. Yé-Wé le regarda avec inquiétude.

— Où sommes-nous?

— En Thaïlande, affirma George. Ici, vous ne risquez rien. Les Rangers birmans ne s'aventurent pas si loin et l'armée thaïlandaise se contente de contrôler les routes. Je vais vous laisser de la nourriture et de l'eau.

— Vous êtes sûr que les Rangers ne peuvent pas venir nous chercher? insista Yé-Wé.

George Kearod posa sa grande main sur la frêle épaule du jeune Birman.

— Certain. Ici, vous êtes à plusieurs kilomètres de la frontière. Vous pouvez dormir tranquille. Reposez-vous. Ma Don, viens avec moi, j'ai des choses à te donner.

Dociles, les trois garçons se laissèrent tomber sur la natte. Trop épuisés pour discuter.

Yé-Wé était étudiant en philosophie, son frère en

chimie comme Kyaw Zaw, lorsqu'ils avaient commencé à manifester, dans les rues de Rangoon, animés d'un espoir fou. Croyant sincèrement que l'armée allait abandonner le pouvoir en Birmanie. Les massacres de septembre avaient fait sombrer leurs espoirs. Rien qu'à y repenser, Yé-Wé en avait la chair de poule, avec encore dans ses oreilles le staccato sinistre des mitrailleuses lourdes, qui hachaient la foule des manifestants pacifiques et désarmés. Comme à Tien An Men. A côté de lui, son meilleur ami avait été abattu par les énormes projectiles de 12,7, transformé en bouillie sanglante.

Ensuite, cela avait été la clandestinité, la fuite, les changements de planque, la peur au ventre. Il leur avait fallu une énergie fantastique pour reprendre contact avec les autres membres de la coopération étudiante et créer des réseaux. Et surtout se tourner vers l'extérieur. A force d'acharnement, et grâce à George Kearod, ils avaient pu entrer en contact avec un Américain de l'ambassade qui leur avait promis de l'aide. A condition qu'ils passent en Thaïlande pour y organiser une base. Là, ils obtiendraient des armes pour renforcer les rares fusils d'assaut et les pistolets volés à des soldats et soigneusement planqués dans des pagodes. Après de longues discussions, ils avaient décidé d'envoyer une délégation à Bangkok expliquer aux Américains ce qui se passait.

Ma Don suivit docilement George Kearod jusqu'à la jeep, où il prit une grosse natte roulée. Ils revinrent vers la pagode, la contournant pour atteindre, du côté opposé à celui où se trouvaient les trois garçons, un espace clos empierré qui avait dû contenir une statue, dominant le sol d'un mètre environ. George Kearod y déroula la natte et s'y installa. Ma Don s'accroupit en face de lui, un peu détendue. Tout à l'heure, l'eau fraîche du ruisseau lui avait fait un bien fou. Le tissu de son longyi encore trempé moulait sa poitrine et ses fesses et George Kearod la couvait d'un regard luisant.

— Viens, dit-il.

En même temps, il l'attirait vers lui. Ma Don se laissa faire passivement, s'allongeant sur le côté dans la pose du bouddha couché. George passa les doigts entre sa peau et le tissu humide de son longyi.

– Enlève ça.

Sans attendre sa réponse, il défit lui-même le nœud retenant le tissu à la taille, puis glissa aussitôt ses mains sur la peau nue des hanches et le fit glisser vers le bas, découvrant d'abord son ventre, puis ses cuisses et ses jambes. Ma Don se débattait faiblement avec des petits cris. Comme toutes les Birmanes, elle était extrêmement pudique, cela la gênait de se montrer nue en plein jour, même à un homme avec qui elle avait déjà fait l'amour. George Kearod n'en avait cure. Sa grande main s'était déjà refermée sur le triangle de fourrure soyeuse et noire entre les cuisses. Ses yeux luisaient derrière ses grosses lunettes. Il était fou de ces corps minces d'Asiatiques, presque androgynes, avec des peaux comme de la soie. Ma Don exhala un soupir imperceptible. Elle se sentait si fatiguée qu'elle se demandait si elle pourrait éprouver un plaisir quelconque. George Kearod, penché sur elle, observait avidement ses traits.

– *Ai toi me la* (1)? demanda-t-il à voix basse.

– *Obarde* (2), murmura Ma Don.

Elle en oubliait les trois garçons qui ne devaient guère se faire d'illusions sur leurs activités et le soleil brûlant qui chauffait sa peau satinée. A côté de George, elle se sentait bien.

Un oiseau s'envola avec un cri aigu, non loin d'eux, et elle sursauta.

– Tu es sûr que nous ne craignons rien? répétat-elle.

– Sûr.

Maintenant, elle était totalement nue sur la natte, les yeux glués au ciel bleu. George respirait de plus en plus vite. Nerveusement, il défit son jeans, découvrant un

(1) Tu as envie de faire l'amour?
(2) Oui.

slip tendu par son érection, et demanda d'une voix sourde.

– *Li taon-ba* (1).

Docilement, Ma Don écarta le tissu, découvrant un membre deux fois plus important que ceux de ses coreligionnaires. Au début, cela la terrifiait. Puis, elle s'était aperçue que les parois élastiques de son vagin s'en accommodaient parfaitement et même qu'elle en éprouvait un plaisir intense. Obéissant à la requête de George, elle entoura le membre massif de ses doigts fuselés, puis tira avec douceur la peau vers le bas. Comme il le lui avait appris, elle « rentra » ses dents et l'enfourna dans sa bouche. George se cala sur la natte et ferma les yeux, savourant son plaisir. Avec la régularité d'un métronome, Ma Don l'engloutissait le plus loin possible, jouant habilement de sa langue, ne sachant encore s'il désirait se répandre dans sa bouche ou ailleurs.

George Kearod avait développé chez elle une docilité totale déjà inscrite dans ses gènes par un atavisme millénaire. En Birmanie, la femme était un objet de plaisir pour l'homme. Les trois quarts des Birmanes ignoraient même qu'elles possédaient un clitoris... Allongé sur la natte, George soufflait comme un phoque, faisant monter instinctivement ses hanches vers l'exquise caresse.

Brutalement, il eut envie de conclure. Sa main se referma sur le peigne retenant le chignon de Ma Don et il arracha sa bouche de son sexe. Aussitôt, la jeune étudiante s'allongea sur le dos. Ce n'était pas assez pour George. Il se releva et sauta en contrebas, dans l'herbe. Il avait gardé ses boots, à cause des serpents. Debout, face au rebord de pierre, il fit glisser la natte vers lui avec Ma Don dessus, lui relevant ensuite les jambes, vers le ciel, à la verticale. L'extrémité congestionnée de son sexe se trouvait juste à la hauteur de celui de la Birmane. D'une poussée impitoyable, il s'y enfonça de tout son poids. Ma Don poussa un cri de

(1) Suce-moi.

douleur, de surprise, de plaisir, envahie par cette
énorme chose. Comme si cela ne suffisait pas, George
Kearod la prit par les cuisses, et la colla encore plus à
lui. Il sentait son membre buter au fond du vagin
pourtant élastique et c'était une sensation formidable.
Jamais il n'aurait ressenti cela avec une Européenne.

Il se mit à bouger d'avant en arrière, maintenant
solidement les cuisses écartelées contre son torse. Ma
Don poussait de petits gémissements, soulevée de la
natte par le balancement puissant. Le ciel bleu dansait
devant ses yeux. George Kearod lança un ultime coup
de rein et se déversa en elle, trop tôt pour lui permettre
de jouir. Poliment, elle simula pourtant un orgasme
avec un cri de souris tandis qu'il se retirait, encore
raide, et revenait s'étendre sur le dos à côté d'elle.

— Il faut que j'aille à Sangkhlaburi, soupirait-il. J'ai
rendez-vous avec un officier thaï qui me renseigne.

Appuyée sur un coude, Ma Don l'observait.

— Quand reviens-tu?

— Demain, à l'aube. Nous prendrons tout de suite la
route de Bangkok.

Il était déjà rhabillé. Ma Don remit son longyi encore
humide et torse nu, se serra contre lui. La large main de
George se referma sur ses reins et il flatta les fesses
rondes, lui promettant à voix basse :

— A Bangkok, je te prendrai par là.

Elle le regarda partir, pleine de reconnaissance.
George les avait tellement aidés elle et ses amis. Les
mauvaises langues de Rangoon disaient que c'était
parce qu'il travaillait pour les Américains et qu'il aimait
sauter les petites étudiantes. Les deux étaient probablement vrais, mais il avait quand même pris des risques
dans un régime féroce pour toute opposition. Sans lui,
Ma Don aurait probablement été violée, torturée et
abattue dans une caserne de Tatmadaw(1).

Le bruit de la jeep qui démarrait lui serra le cœur. S'il
lui arrivait quelque chose! Ils ne savaient même plus où

(1) L'Armée. Comme Tsahal pour les Israéliens.

ils se trouvaient, ni dans quelle direction il fallait marcher pour ne pas se retrouver en Birmanie.

George Kearod conduisait le plus vite possible, essayant de ne pas quitter la piste étroite. La jeep acheva d'escalader une crête et il s'arrêta. La sueur collait sa chemise à son dos. A perte de vue, la jungle d'un vert profond, presque sans villages. La vie était beaucoup plus à l'ouest, le long des rives de la Menam Mae Klong.

Dès qu'il eut stoppé, il prit dans son sac de toile une radio portative et en étira l'antenne. Après avoir choisi sa fréquence, il commença à lancer des appels. A cause du terrain accidenté, l'appareil ne portait pas loin. Il dut répéter dix fois son message avant de percevoir une réponse faible et brouillée. C'était si mauvais qu'il fut obligé de se déplacer pour entendre un peu mieux. La transmission lui prit près de dix minutes. Ensuite, il rentra son antenne et reprit la piste.

Une heure plus tard, il débouchait sur la route entre le col des Trois Pagodes et Sangkhlaburi. Il tourna à gauche, descendant vers le bourg thaïlandais. Devant lui s'étendait une vallée couverte de rizières d'un vert plus sombre. Il doubla un éléphant traînant d'un pas majestueux quelques billots de tek et, un peu plus tard, croisa un bus surchargé, signe de civilisation.

Ma Don ne dormait plus depuis une bonne heure, guettant les bruits de la nuit. La veille, après son intermède amoureux avec George, elle avait rejoint ses trois compagnons qui avaient eu la bonne idée de ne pas lui poser de questions. Les Birmans, malgré leur pudeur, étaient très libres et puis, George était un étranger : cela ne comptait pas.

Ils avaient bavardé, à voix basse, surveillant la jungle

autour d'eux, peu à peu rassurés par le silence. Bientôt vaincus par la fatigue. Après tout, ils se trouvaient en Thaïlande, hors de portée de l'armée birmane, et, bientôt, ils seraient à Bangkok. L'idée de rallier des étrangers à leur cause les exaltaient. C'était enfin la possibilité de vaincre. Yé-Wé avait déjà dressé sa « shopping-list » : des armes, des munitions, des radios. Les Karens se chargeraient de l'entraînement de leurs amis : ils haïssaient le gouvernement central et rêvaient de renverser Ne Win.

Un oiseau de nuit traversa le ciel en volant lourdement et Ma Don qui était superstitieuse fit un vœu. Elle se sentait protégée dans cette pagode. Avant de se coucher, elle était allée cueillir quelques fruits sauvages et les avait déposés devant le bouddah décati. Il faisait presque froid à l'aube et le brouillard donnait à la jungle un aspect fantomatique. Soudain, il lui sembla entendre un froissement de feuillages. Comme sur le passage d'un gros animal. Il devait encore y avoir des tigres dans cette région où personne ne chassait. Prise de peur, elle se pencha et secoua légèrement son compagnon.

— Yé-Wé.

Le jeune Birman grogna mais ne se réveilla pas. Ma Don regardait la jungle où s'accrochaient des traînées de brouillard, à l'endroit où elle avait entendu le bruit. Son cœur tapait contre ses côtes. Elle secoua Yé-Wé plus violemment et il se dressa en sursaut.

— J'ai entendu du bruit! fit-elle.

Yé-Wé frotta ses yeux ensommeillés, et bredouilla :

— Ce n'est rien, quelle heure est-il?

Ma Don n'eut pas le temps de répondre. Tim-Yo qui s'était réveillé à son tour venait de pousser un cri.

— Tatmadaw!

Il tendait le bras vers la lisière de la jungle. A une vingtaine de mètres, ils aperçurent plusieurs silhouettes en uniformes verdâtres, avec des chapeaux de brousse et des fusils d'assaut.

Les lourds G.3 de l'armée birmane...

Les soldats avançaient sans se presser, fusils pointés, cernant la pagode. La première, Ma Don réagit. Elle se leva et voulut détaler vers l'autre côté : ce fut pour se heurter à d'autres silhouettes identiques. En tout, ils étaient au moins une trentaine. L'un d'eux abaissa son arme et les saccades sèches d'une rafale déchirèrent le silence. Les projectiles firent sauter quelques éclats de plâtre dans la pagode et une voix cria en birman :

– Ne bougez pas !

Ma Don fit demi-tour en courant, pour tomber dans les bras de Yé-Wé. Le garçon semblait totalement affolé. Incapable d'articuler un mot. Impassibles et tranquilles, les soldats se rapprochaient. Les autres étudiants comprirent qu'au premier geste, ils seraient hachés de balles. Ils restèrent debout en face du bouddah, assommés d'horreur.

Quelques secondes plus tard, les soldats les entouraient. Presque aussi jeunes qu'eux, l'expression méprisante. Les garçons furent fouillés, avec quelques coups de crosse en prime. Yé-Wé, qui protestait, reçut un coup de pied dans le bas-ventre, qui le plia en deux. Puis, on leur lia les chevilles et les mains derrière le dos. Ma Don, elle, n'eut droit qu'à une corde qui liait ses poignets sur son ventre et se prolongeait comme une longe d'animal. Ils furent regroupés, accroupis sur leurs talons et un lieutenant les rejoignit, se plantant devant le groupe apeuré.

– Alors, lança-t-il, vous pensiez échapper à Tatma-daw ?

Ma Don leva la tête et son cœur se serra : c'était un des tortionnaires de Rangoon, un des hommes des Brigades spéciales du général Thiha Latt, le patron du NIB(1). Il l'avait interrogée avant les massacres à coups de gifles et de menaces. Que faisait-il ici ?

La rage prit le pas sur la peur. Ma Don redressa la tête et lui lança :

(1) National Intelligence Bureau, organisation coiffant l'ensemble des services secrets birmans.

– Vous n'avez pas le droit d'être ici, nous sommes en Thaïlande! L'armée thaï va venir.

L'officier birman éclata de rire.

– Imbécile! Nous sommes sur le territoire de l'union de Myanma. La Thaïlande est à plusieurs kilomètres. Et les Thaïs n'aiment pas les communistes comme vous... On pourrait vous poursuivre jusqu'à Bangkok, ils fermeraient les yeux.

Ma Don ravala sa haine. Il leur mentait, c'était sûr! George n'avait pas pu se tromper de cette façon. Et il allait arriver, tomber à son tour dans le piège! Cette seule idée la glaça. Les soldats s'étaient dispersés pour se dissimuler dans la jungle. Les quatre étudiants restaient seuls avec le lieutenant. Qu'attendait-il pour les emmener? Elle ne comprenait pas... Le Birman alluma une cigarette et souffla la fumée.

– Vous savez ce qui va vous arriver?

Aucun des quatre ne répondit. L'officier insista.

– Nous allons vous ramener à Rangoon, vous juger et vous exécuter. Ou bien vous partirez chez les Karens pour le déminage... sauf si vous acceptez mes conditions.

Yé-Wé leva la tête et demanda d'une voix timide :

– Lesquelles?

Le lieutenant lui adressa un bon sourire.

– Voilà un garçon intelligent! On voit que tu as fait des études... Tu ne te demandes pas pourquoi nous ne vous avons pas abattus tout de suite? Pourquoi je perds mon temps avec vous? C'est que nous avons besoin de vous. Il faut collaborer.

Fou de rage, le jeune Kyaw Zaw cracha par terre.

– Vous avez assassiné nos amis, cria-t-il. Nous n'obéissons qu'à notre leader bien-aimée, Aung San Suu-Kyi!

En entendant le nom de la politicienne birmane, le lieutenant eut une grimace de dégoût. Puis, sans se presser, il s'approcha de Kyaw Zaw.

– Tu vas voir que je ne plaisante pas! dit-il.

Calmement, il sortit de sa gaine de métal un couteau

de commando à la lame de trente centimètres. Ma Don
sentit son cœur se recroqueviller. Appuyant sur son
épaule avec sa botte, l'officier força Kyaw Zaw à se
coucher sur le dos. Le jeune étudiant le fixait, terrifié.
Le lieutenant se pencha et posa la pointe du poignard
sur sa poitrine, un peu à droite du sternum. Il tâtonna
quelques secondes puis pesa pour faire pénétrer la lame
d'un demi-centimètre.

Kyaw Zaw hurla de douleur et de panique.

L'officier fit une courte pause. Puis avec un sourire
haineux, il se remit à peser sur le manche, faisant entrer
l'énorme lame millimètre par millimètre, dans la poitrine de l'étudiant.

– Alors, tu crois que Aung San Suu-Kyi va te
protéger?

La bouche ouverte, Kyaw Zaw poussa un cri sourd
quand la pointe de la lame rencontra le cœur. Son corps
se tendit en un bref et inutile sursaut. Horrifiée, Ma
Don vit le poignard disparaître entièrement dans la
poitrine de son camarade. Celui-ci eut quelques brefs
spasmes, puis demeura immobile.

A peine quelques gouttes de sang. Kyaw Zaw avait
les yeux déjà fixes. Le lieutenant se redressa, laissant le
poignard planté dans le torse frêle, la pointe ressortant
dans le dos. Il dit d'une voix douce :

– Maintenant, vous trois, vous allez m'écouter...

Ma Don n'arrivait pas à croire que Kyaw Zaw soit
mort. Ses dents claquaient. Elle leva le regard vers le
lieutenant qui lui adressa un sourire affreux. Ce qu'elle
lut dans ses yeux la glaça. D'un geste désinvolte, il
venait d'appeler les soldats qui accouraient.

– Débarrassez-moi de cette charogne, ordonna-t-il.

Ma Don, brusquement, plongea ses mains entravées
dans son sac de lainage. L'officier n'eut pas le temps de
l'en empêcher. Sans même l'enlever du sac, elle saisit le
pistolet qui se trouvait à l'intérieur. Une arme volée à
un soldat pendant les « événements » et qu'elle avait
gardée pour se suicider s'ils étaient pris. Sa main se
referma sur la crosse, elle trouva la détente et appuya

dessus. Agenouillée sur le ciment, elle visa le soldat le plus proche d'elle.

La détonation fut étouffée par le sac, mais le soldat tomba en se tenant le ventre. Son voisin poussa un hurlement, l'œil gauche traversé par une balle et se mit à tourner sur lui-même avant de s'effondrer. Mort. Ma Don n'eut pas le temps de tirer une troisième fois. A la volée, le lieutenant lui expédia un coup de pied dans le poignet et elle dut lâcher le pistolet avec un cri. D'un second coup de pied, l'officier envoya valdinguer le sac hors de sa portée. D'un troisième, qui frappa Ma Don à la tempe, il la renversa sur le côté. Les lèvres serrées par la rage, il arracha un coupe-coupe de la ceinture d'un de ses hommes. Il n'obéissait plus aux ordres, le vieux fond de cruauté asiatique reprenait le dessus. Ma Don le vit foncer sur elle et se recroquevilla en un effort futile de protection. L'officier se pencha et arracha son longyi, découvrant son ventre. Sans hésiter, il abattit le coupe-coupe, juste au-dessus du pubis. La lame s'enfonça de plusieurs centimètres et Ma Don poussa un hurlement d'agonie. Le lieutenant arracha l'arme de son ventre et se mit à lui taillader les seins, les hanches, le ventre. Comme pris de folie. Le sang jaillissait, éclaboussant ses bottes, mais il ne s'en souciait pas. Ma Don ne bougeait presque plus, mais il s'acharnait toujours.

D'un coup de pied, il retourna la loque sanglante sur le côté et abattit son coupe-coupe avec un « han » de bûcheron, visant la nuque.

La lame se coinça dans les vertèbres cervicales et il eut toutes les peines du monde à la retirer.

Ma Don avait cessé de vivre. Pourtant, l'officier birman continua à frapper à coups redoublés jusqu'à ce que la tête se détache du corps dans une mare de sang. Il prit alors son élan et shoota comme au football, projetant le macabre trophée dans les hautes herbes. Il était en sueur, les prunelles rétrécies, le cœur battant la chamade. Des deux soldats touchés par la jeune étudiante, un avait cessé de vivre et l'autre, pâle comme un linge, respirait avec peine. Ses camarades lui avait appliqué un pansement d'urgence qui ne pouvait rien contre l'hémorragie interne...

– Fabriquez une civière, ordonna l'officier.

Certain que le blessé ne survivrait pas. Aucune importance. Il plongea la main dans le sac et en retira le pistolet avec lequel la fille avait tiré. Un 9 mm Chicom(1), copie d'un Makarov. Il ôta le chargeur : il restait encore cinq balles. Il se maudissait d'avoir été aussi imprudent. Il aurait dû fouiller le sac... Mais les étudiants n'étaient pratiquement jamais armés. Sa colère retombée, il se pencha et arracha son poignard du corps inerte de Kyaw Zaw. Maintenant, il n'avait plus droit à l'erreur. Sinon, sa mission échouait et on lui en voudrait beaucoup.

Yé-Wé le vit s'approcher de lui, paralysé d'horreur. L'officier balançait à bout de bras le poignard encore maculé du sang de son ami. A côté, Tim-Yo était recroquevillé, muet, tétanisé. Le lieutenant saisit Yé-Wé par ses cheveux noirs et lui releva la tête.

– Tu as réfléchi? demanda-t-il. Tu veux toujours travailler avec les communistes?

Sous ses doigts, il sentit la tête de l'étudiant bouger de droite à gauche. Dissimulant sa satisfaction, il enchaîna aussitôt :

– Tu as raison. Nous allons pouvoir parler. Mais avant, tu vas nettoyer mes bottes.

Il poussa le visage de l'étudiant contre ses rangers maculées du sang de Ma Don. Yé-Wé hésita quelques secondes, émit une sorte de sanglot, puis docilement sa langue s'attaqua au cuir taché de sang. Il n'avait plus qu'une idée en tête : survivre.

(1) Copie chinoise.

CHAPITRE II

Le vrombissement infernal des innombrables jonques sillonnant la Menam Chao Phraya(1) traversait les glaces épaisses de la suite occupée par Malko, au seizième étage de l'*Oriental*. C'était bien la seule partie de Bangkok où on arrivait encore à se déplacer, la ville étant en permanence engluée dans un gigantesque embouteillage; les moteurs puissants à l'échappement libre montés sur toutes les embarcations pétaradaient jour et nuit.

En dépit de cet inconvénient, Malko restait fidèle à l'*Oriental*, construit au bord de la rivière. Il retrouvait toujours avec plaisir cet hôtel au luxe pointilleux. La Thaïlande changeait à vue d'œil, mais l'*Oriental* demeurait une oasis de raffinement inégalé. Il regarda quelques instants le grouillement des embarcations sur le fleuve. Beaucoup d'eau avait coulé devant l'*Oriental* depuis sa première mission en Thaïlande(2), passée du tiers monde à la modernité. Maintenant, l'aéroport de Don Muang ressemblait à celui de Francfort, même pour l'efficacité. Les touristes avaient beau se déverser par millions, le flux restait maîtrisé...

Il acheva de s'habiller. Grâce au vol Air France sans escale Paris-Bangkok, il se sentait frais comme un

(1) Rivière traversant Bangkok.
(2) Voir SAS n° 10, L'or de la rivière Kwaï.

gardon. A cause de la pingrerie de la CIA qui refusait de payer des Premières, il avait étrenné la nouvelle classe « Le Club ». Ne regrettant pas les First. Grâce aux nouveaux sièges inclinables, d'une largeur exceptionnelle, il avait dormi comme un bébé. Déjà, il avait expérimenté cette classe « Le Club » entre Vienne et Paris, sur moyen courrier, où on lui avait servi un véritable repas gastronomique ainsi qu'un grand Bordeaux.

Le téléphone sonna.

– Malko? C'est Mike. Je vous attends au *Sea Food Restaurant*, dans New Petchburi Road, au coin d'Asoke Road. C'est le meilleur restaurant de poissons de Bangkok.

Mike Roberts, numéro deux de la CIA à Bangkok, vieil amoureux de l'Asie marié à une Thaï, connaissait toujours « le » meilleur restaurant. Seulement celui-là se trouvait à l'est de la ville et il fallut à Malko quarante-cinq minutes pour y arriver...

Malko débarqua enfin dans un endroit plutôt sinistre qui ressemblait à un restaurant japonais, avec un grand bassin où évoluaient d'énormes poissons et une salle gigantesque et tristounette pratiquement vide. Mike Roberts, un gros homme aux abondants cheveux noirs, lui fit signe. Il était en compagnie d'un homme au nez important et pointu chaussé de grosses lunettes avec une moustache fournie et négligée. L'Américain fit les présentations :

– Malko, voici George Kearod, notre « stringer » en Birmanie. George, Malko Linge est notre meilleur chef de mission. Si je pouvais vous raconter tous les trucs impossibles qu'il a réussis...

George Kearod, avec son sourire ironique et faux et son regard fuyant, fut instantanément antipathique à Malko, mais celui-ci n'en montra rien et s'assit en face des deux hommes.

– J'ai déjà commandé, annonça Mike. Ici, c'est délicieux. Si vous aimez les pinces de crabes gratinées, les écrevisses, les *rocklobsters*...

Son problème, c'était la bouffe. Il n'en avait jamais assez et les boutons de sa chemise menaçaient de sauter sous la pression de son estomac. Il s'accrochait à Bangkok depuis douze ans à cause de sa femme thaï et de son amour pour l'Asie du Sud-Est. A peine Malko eut-il terminé sa bière qu'il attaqua.

– La station de Vienne vous a appris que nous avions un problème en Birmanie?

– Exact. Mais on ne m'a pas dit lequel.

Le gros Américain éclata d'un rire sardonique.

– Il est très simple. La Birmanie, c'est la Roumanie de l'Asie. Sauf qu'ici, le général Ne Win, vrai patron du pays, est toujours là... A côté de lui, Nicolae Ceaucescu était presque un libéral. En deux ans, Ne Win a fait massacrer quelques milliers d'étudiants et maté dans le sang une révolte populaire. La Birmanie n'en peut plus. Fermée au monde depuis vingt-sept ans. Ils manquent de tout alors que le pays est très riche. Mais Ne Win est fou, xénophobe et garde le pouvoir. Tout le monde lui tourne le dos, sauf les Chinois, les Japonais et les Thaïs...

– Pourquoi les Thaïs?

Mike Roberts frotta son pouce contre son index.

– Le business. Ils achètent pour une bouchée de pain des bois précieux aux Birmans et les revendent au prix fort aux Scandinaves. Alors, eux s'accommodent très bien de la dictature de Ne Win.

George Kearod approuva de la tête tout en mangeant ses pinces de crabe. Malko se dit que George Bush était déchaîné! Après le Panama, la Birmanie. *In God we trust*. Il devait accrocher dans son salon de la Maison Blanche les têtes de dictateurs comme d'autres y mettent des trophées de chasse. Tout le monde savait que les quarante millions de Birmans enduraient depuis 1962 une dictature bornée et xénophobe, qui s'était d'abord baptisée « socialiste » pour finalement se brouiller avec l'Est et l'Ouest, ne se maintenait au pouvoir que par la force pure.

– Donnez-moi un peu plus de détails, réclama Malko. Il y a-t-il une opposition organisée?

L'homme de la CIA eut une moue désabusée.

– Un embryon. Depuis les massacres de septembre 88, une poignée d'étudiants se sont organisés dans la clandestinité, d'autres ont fui chez les Karens, les rebelles qui contrôlent une zone montagneuse, à cheval entre la Thaïlande et la Birmanie et emmerdent le gouvernement birman depuis vingt ans. Nous avons cherché à aider ces étudiants. On leur a donné des mercenaires pour les former, mais au bout de quelques mois, presque tous étaient retournés chez eux ou avaient abandonné. Pas assez motivés. La *Company* a décidé de stopper le programme. Les Birmans ne sont pas les Afghans...

– Quel est mon rôle, dans ce cas? demanda Malko appliqué à décortiquer son *rocklobster* à la sauce piquante.

– Il y a eu un fait nouveau, enchaîna Mike Roberts. Aung San Suu-Kyi, la fille du fondateur de la Birmanie, est revenue d'Angleterre pour sauver son pays. Elle a fondé un parti, la Ligue pour la Démocratie, et est devenue la Jeanne d'Arc locale, soutenue par une organisation clandestine d'étudiants.

– Espérons qu'elle ne finira pas comme elle, remarqua Malko.

– Pour l'instant, Ne Win l'a fait placer en résidence surveillée, répliqua Mike Roberts. Elle n'a aucune liaison avec l'extérieur.

– Vous voulez que j'aille la délivrer?

– Non, mais nous avons pris contact avec le groupe clandestin qui la soutient. Ceux-ci ne survivent que grâce à l'aide logistique d'un réseau de bonzes sous la direction de leur chef spirituel, un vieux sage dont le nom birman se traduit par « Red Eagle(1) ». Ils réclament notre aide. Le cas a été soumis à notre Conseil de Sécurité et le Président a décidé d'étudier la

(1) Aigle rouge.

possibilité de débarrasser la Birmanie de la junte militaire qui l'étrangle. Ses quarante millions d'habitants, presque tous bouddhistes, réclament la démocratie à cor et à cri.

Malko écoutait, attentif et un peu surpris : il ne s'agissait de rien de moins qu'un coup d'Etat.

— Cela ne relève pas de la station de Rangoon? objecta-t-il, étonné qu'une opération de cette importance soit téléguidée de Bangkok.

Mike Roberts eut un sourire embarrassé.

— En principe, si. Mais notre COS(1) de Rangoon ne croit pas à la possibilité de faire bouger les choses. Alors, avec l'accord de Langley, nous l'avons court-circuité. Grâce à George, ici présent.

— Expliquez-vous.

— George est un de nos plus vieux « stringers ». Il habite la Birmanie depuis vingt ans, parle la langue et arrive à faire un peu de business avec le gouvernement birman. Officiellement, il travaille pour le *National Geographic Magazine*, ce qui lui permet d'avoir beaucoup de contacts. C'est lui qui a assuré la liaison avec ces étudiants et l'envoi d'une délégation en Thaïlande pour examiner avec eux l'aide que nous pouvons leur apporter.

George Kearod, qui suçotait des écrevisses avec la délicatesse d'un jeune goret, s'était arrêté de manger, la tête modestement baissée. Il ouvrit la bouche pour la première fois.

— Ils étaient partis à quatre de Rangoon, précisa-t-il, mais trois d'entre eux ont été abattus par les Rangers birmans au passage de la frontière. Un seul a survécu. Yé-Wé, un jeune étudiant en philosophie.

— Il est ici à Bangkok, ajouta Mike. En contact avec George.

Ce dernier intervint.

— Yé-Wé est un jeune type formidable. Je le connais depuis deux ans. Il a été s'entraîner chez les Karens

_____
(1) Abréviation pour Chief of Station.

l'année dernière. Son frère, Tim-Yo, a été tué dans l'embuscade.

Malko posa son regard sur Mike Roberts.

– Vous l'avez rencontré?

– Pas encore, reconnut l'Américain avec un soupir si fort que son ventre faillit repousser la table. Les Thaïs sont très jaloux de leurs prérogatives et considèrent que la Birmanie appartient à leur zone d'influence. Or, ils ne veulent pas que nous nous en mêlions. Les mercenaires que nous avons prêtés aux Karens étaient officiellement payés par des Chinois nationalistes de Taïwan. Je suis obligé d'être prudent. Au moins pour sauver la face. Même si les Services thaïs savent que nous sommes derrière. Alors, je ne peux pas, *ouvertement* « tamponner » ce Yé-Wé.

– Que veut-il? interrogea Malko.

– Il va vous le dire lui-même, expliqua Mike Roberts. Il a refusé de parler à George, exigeant un « envoyé spécial » de Langley. Il prétend avoir des informations capitales, dont un message secret de Aung San Suu-Kyi.

– Quand vais-je le voir?

George Kearod extirpa de sa moustache quelques débris de crustacés et dit :

– Ce soir, je pense. Je lui ai donné deux rendez-vous.

– Pourquoi, deux?

– Je ne sais pas où il est. Il se cache. Il a très peur de la police secrète thaïlandaise qui collabore avec les Birmans. Elle leur communique les adresses des étudiants contestataires réfugiés ici et des tueurs du MIS(1) birman viennent les liquider. Alors, je lui donne toujours un rendez-vous de secours au cas où il ne pourrait pas venir au premier. Vous connaissez bien Bangkok?

– Oui.

– Alors, retrouvons-nous à Patpong Road I. Dans

(1) Military Intelligence Service.

une boîte qui s'appelle le *Crazy Horse*. C'est là le premier rendez-vous.

Malko n'en pouvait plus des fruits de mer et dissimulait son étonnement. Cette mission importante commençait d'une façon bizarre. Avoir fait quinze mille kilomètres pour débusquer un étudiant en cavale alors qu'Alexandra était partie skier à Lech avec un groupe de playboys, c'était un comble! Mike fit apporter une bouteille de Gaston de Lagrange et remplit généreusement son verre. C'était autre chose que le cognac chinois... Malko se dit qu'il renouvellerait sa garde-robe à Bangkok. C'est là qu'on trouvait les plus belles chemises de smoking du monde à des prix ridicules.

– Bien, à ce soir au *Crazy Horse*, conclut-il.

Un gang de sourds-muets avait colonisé Patpong Road pour y installer des éventaires en plein air, face aux innombrables boîtes à putes du quartier chaud de Bangkok. De Silom Road à Suriwong Road, ils harcelaient les passants de leurs mimiques muettes et pitoyables en brandissant leurs colifichets. Ce ballet silencieux offrait un contraste saisissant avec le vacarme des discos en plein air, des bars, des aboyeurs de boîtes. Presque à chaque pas, Malko se faisait harponner par un Thaï proposant à voix basse des live-shows avec des femmes, des enfants, des animaux, tout ce qui pouvait faire l'amour sur une scène...

Des grappes de petites Thaïs attaquaient les touristes en piaillant, la mini au ras des fesses, la lèvre purpurine, l'œil aguicheur. Les plus agressives étant des travelos faits sur mesure, offrant des vagins artificiels à des prix très abordables...

Malko contourna un grand jeune homme scandinave presque albinos en arrêt devant un travesti lui arrivant à la poitrine, qui lui faisait des offres de services en lui massant l'entrejambe avec une bonne volonté touchante.

En pleine rue et sous le regard placide d'un policier thaï en train de déguster une *Tom Yam Khum* (1).

A Patpong, tout était à vendre, à acheter, ou à louer. Les petites Thaïs débarquées de leur village gagnaient comme « go-go girls » des salaires misérables, devant trouver le complément à la sueur de leurs fesses. Quand elles n'étaient pas terrassées par le Sida, elles retournaient s'acheter une petite rizière au fond de la Thaïlande et rangeaient définitivement leurs porte-jarretelles en strass. Malko poussa enfin la porte du *Crazy Horse* et faillit reculer devant le vacarme.

Une douzaine de go-go girls en maillot de bain ou en guêpière dansaient sur un podium en Y bordé de nombreux tabourets. D'autres filles attendaient, planquées dans tous les coins de la salle. Dès que Malko s'installa aux pieds d'un travelo en guêpière blanche avec une longue natte de faux cheveux, une nuée de petites Thaïs fondit sur lui. Pépiant joyeusement, le tripotant sur toutes les coutures, égrenant d'une voix sucrée des propositions aussi alléchantes que précises.

La haute silhouette de George Kearod apparut à la porte et se fraya un passage dans la volière. L'Américain se plaisait visiblement dans cet environnement, arborant un regard allumé derrière ses lunettes. Il caressa quelques chutes de reins, échangea des plaisanteries en thaï avec les « hôtesses » et lança à Malko :

– Elles vous trouvent très beau! Si ça vous chante...

Une candidate au titre de « Miss Sida » était déjà en train de glisser une main aux ongles démesurément longs dans la poche de Malko, tentant d'atteindre ses parties vitales...

– Où est votre Birman? demanda-t-il, pressé de fuir cette atmosphère frelatée.

– Je ne l'ai pas vu, je vais demander au patron.

Un grand blond aux larges épaules avec des valises sous les yeux et l'air d'une franche crapule. Il adressa à

(1) Soupe à la crevette.

Malko un sourire servile et chuchota quelques mots à l'oreille d'une petite Thaï à la bouche énorme. Celle-ci vint aussitôt se coller à Malko et commença à lui lécher l'oreille. George Kearod revenait, hilare.

– Cadeau de la maison, annonça-t-il. Vous pouvez y aller, elle est saine, arrivée de son village il y a huit jours. Yé-Wé n'est pas encore là. Vous prenez quoi?

Le patron apportait déjà une bouteille de Moet millésimé... George Kearod était bien vu.

– Qu'est-ce que vous faites au juste en Birmanie? demanda Malko.

– Le *National Geographic Magazine* ne me tue pas de travail, alors je fais un peu de business. En ce moment, je suis en train de leur vendre des autobus réformés par les Thaïlandais. C'est pour ça que je suis à Bangkok. Mais j'ai hâte de retourner à Rangoon.

– Les Birmans ne se méfient pas de vous à cause de votre nationalité?

George Kearod haussa les épaules.

– Ils se méfient de tout le monde, mais je suis là depuis vingt ans et je ne fais pas de politique. Personne ne connaît mes liens avec la Company. Je n'ai aucun contact avec la station de Rangoon.

– Mais vous avez caché des étudiants...

– Oui. (Il rit.) Les Services birmans savent que j'aime bien les petites Birmanes. Il y a toujours un défilé chez moi. Alors, une de plus ou de moins... Et puis, je fais très attention au téléphone et aux mouchards. Les Birmans ont la manie de la délation. C'est une seconde nature chez eux... Mais ils ont d'autres qualités.

– Yé-Wé ne vient pas, remarqua Malko, au bout d'un moment.

George Kearod regarda autour de lui, et vida d'un trait sa coupe de Moet.

– Il était peut-être en avance et il a eu peur... il est très méfiant. Allons au rendez-vous de secours, au *Montien*.

Malko eut toutes les peines du monde à se défaire du « cadeau » du patron à l'œil glauque. Patpong Road grouillait de touristes, de filles et d'éventaires offrant du faux Chanel, du faux Vuitton, du faux Cartier à des prix imbattables dans le vacarme de la musique et l'éclaboussement multicolore des néons. Il fut soulagé de retrouver un peu de calme en traversant Suriwong pour gagner l'hôtel *Montien*. Ils pénétrèrent dans son énorme hall étalé sur deux niveaux.

– Le voilà !

George Kearod fonçait vers un jeune homme en chemisette blanche assis sagement sur un canapé près de l'entrée. Il se leva et vint à la rencontre de l'Américain. Celui-ci échangea quelques mots avec lui et le présenta à Malko, avec emphase, comme si c'était le Dalaï Lama.

– Voilà Yé-Wé, il n'avait pas d'argent, alors, il n'a pas osé entrer au *Crazy Horse*.

Yé-Wé baissa modestement les yeux. Sa poignée de main était molle et il avait un visage doux, presque féminin, un corps frêle. Seule, l'intelligence du regard attirait l'attention.

– C'est la personne dont je vous ai parlé, annonça Kearod, l'envoyé de Washington. Vous pouvez lui transmettre le message de *Daw*(1) Aung San Suu-Kyi.

Le jeune étudiant birman posa sur Malko un regard extatique, presque halluciné, tandis que George Kearod s'éloignait discrètement.

– Vous avez eu beaucoup de mal à sortir de Birmanie, dit gentiment Malko.

Yé-Wé s'ébroua, passa la langue sur ses lèvres et sembla entrer en transe. Les mots s'entrechoquaient dans sa bouche, rendant son mauvais anglais encore plus incompréhensible. Le regard droit devant lui, comme dans un état second, il se lança dans son récit :

– Ç'a été terrible ! Nous étions partis quatre de Rangoon, avec mon frère Tim-Yo, son copain, Kyaw

(1) Madame.

Zaw, et une amie, Ma-Don. En arrivant à la frontière,
nous sommes tombés dans une embuscade de Rangers.
Ma-Don a sauté sur une mine et nous avons dû
l'abandonner. Ensuite, mon frère et Kyaw Zaw ont été
tués. Moi, j'ai réussi à me cacher pendant plusieurs
jours, je n'avais rien à manger, j'ai été piqué par des
moustiques qui m'ont donné la malaria... J'ai cru que
j'allais mourir.

– Comment êtes-vous arrivé à Bangkok?

– J'avais rendez-vous avec *Ulé* (1) George. Il est
venu me retrouver dans la jungle, au col des Trois
Pagodes.

– Pourquoi êtes-vous venu en Thaïlande?

Yé-Wé frotta vivement ses deux mains l'une contre
l'autre. Sa nervosité intriguait Malko. En dépit de l'air
conditionné, il ruisselait de sueur. Avant de répondre, il
regarda autour de lui. George Kearod, à quelques
mètres, draguait une employée de la réception.

– J'ai un message important de *Daw* Aung San
Suu-Kyi pour les Américains, dit à voix basse Yé-Wé.

– Lequel? demanda Malko.

Yé-Wé le fixa plusieurs secondes, comme ailleurs,
puis se pencha en avant et commença à parler très vite
avec une expression presque douloureuse.

– Il s'est passé une chose très importante! lança-t-il.
Daw Suu-Kyi a eu un contact avec le général Thiha
Latt, le chef du NIB, un des hommes les plus puissants
du pays. Un modéré. Il avait protesté auprès du général
Ne Win quand les soldats ont tiré sur nous. Il a été
formé en Angleterre. Maintenant, il est prêt à collaborer avec *Daw* Suu-Kyi, pour les prochaines élections. A
la faire libérer afin qu'elle puisse se présenter et
gagner!

– C'est inespéré, remarqua Malko, plutôt sceptique.

Après ce qu'il avait entendu dire des militaires birmans...

Yé-Wé hocha la tête gravement et ajouta :

(1) Oncle.

– Oui, mais le général Thiha Latt est un homme très prudent. Il veut être certain que les Américains soutiennent *Daw* Suu-Kyi. Donc avoir un entretien avec un de leurs responsables.

– Ce n'est pas difficile, remarqua Malko, il y a une ambassade américaine à Rangoon...

L'étudiant eut un geste nerveux de dénégation.

– Non, non, ce n'est pas possible ainsi. Les Américains de Rangoon sont très surveillés par le Military Intelligence Service dont certains membres rendent compte directement au général Ne Win. Le général Thiha Latt veut un contact absolument secret. Avec quelqu'un de l'extérieur...

Malko écoutait, attentif et méfiant. Bien sûr, l'histoire était vraisemblable. En ces temps de dictatures fragiles, les militaires retournaient leurs vestes comme des fous... Ce général birman ne serait pas le premier.

– Comment sera-t-il certain qu'il s'adresse bien à un représentant des Américains? demanda Malko.

– A cause de moi, répliqua aussitôt Yé-Wé. Il sait que nous sommes venus ici exposer sa proposition. Je dois lui envoyer quelqu'un.

– Mais comment vais-je rencontrer ce général? objecta Malko.

Yé-Wé marqua une imperceptible hésitation avant de dire, toujours très vite :

– Je me charge de cela. Vous serez contacté à Rangoon par notre organisation, on vous mènera à lui.

– Supposons que l'accord se fasse, demanda Malko, qu'arrivera-t-il ensuite?

– Juste avant les élections, le général fera un coup d'Etat, éliminera les partisans de Ne Win et libérera *Daw* Suu-Kyi pour qu'elle puisse se présenter. Comme elle est très populaire, elle sera élue et prendra le pouvoir. La Birmanie redeviendra une démocratie.

« Démocratie », c'était ce qu'il y avait sur les banderoles brandies par les étudiants lors de la répression sanglante de septembre 88.

– Et le général Thiha Latt?

– Il prendra le commandement de l'armée et aidera *Daw* Suu-Kyi à établir la démocratie.

Yé-Wé se tut, ayant délivré son message. Malko était en train d'analyser ce qu'il venait d'entendre. L'expérience lui avait appris à ne rien rejeter. La proposition transmise par Yé-Wé avait plusieurs lectures. Ou c'était un piège grossier, mais le jeune homme semblait parfaitement sincère. Ou le général Latt avait envie de prendre le pouvoir en se servant des Américains, ou il se ralliait vraiment à la démocratie...

Dans ce genre d'histoires, on savait rarement à temps la bonne réponse. Malko se leva et il tendit la main au jeune homme.

– Où puis-je vous joindre? J'ai besoin de rendre compte.

Yé-Wé eut un sourire embarrassé.

– Je n'ai pas d'adresse, mais je téléphone tous les jours à *Ulé* George. Il faut faire très attention aux Thaïs...

– Vous pouvez me téléphoner aussi, fit Malko, je suis à l'*Oriental*, chambre 1632.

Yé-Wé nota sur un minuscule calepin. George Kearod se rapprocha enfin, échangea quelques mots en birman avec le jeune étudiant et lui glissa un billet de 100 baths(1). L'étudiant s'éclipsa avec moult courbettes. Aussitôt, l'Américain lança à Malko :

– C'était intéressant?

– Oui, dit Malko.

Il lui résuma le récit de Yé-Wé. George Kearod ne dissimula pas son enthousiasme.

– *Daw* Suu-Kyi est une femme exceptionnelle... Elle va sûrement prendre le pouvoir comme Indira Gandhi, Corazon Aquino ou Benazir Buttho.

– Vous connaissez le général Thiha Latt?

– Bien sûr, c'est le grand patron des Services bir-

_____
(1) Environ 30 francs.

mans. On dit que plusieurs fois, Ne Win a voulu le faire fusiller, mais il était trop puissant et il n'a pas osé.

– Et Yé-Wé?

– On dirait un enfant, n'est-ce pas? Mais à vingt-six ans il a déjà créé un réseau de résistance et décidé de consacrer sa vie à la lutte pour la démocratie.

Ils étaient ressortis du *Montien*, dans la chaleur tiède de la nuit. Quelques marchands offraient encore leurs pacotilles et Patpong Road brillait de tous ses néons.

– Je vais raconter tout cela à Mike Roberts, dit Malko. A bientôt.

Il arrêta un taxi qui descendait Suriwong. Une fois de plus, la CIA allait lui demander d'aller mettre délicatement sa tête dans la gueule d'un lion.

En espérant qu'il n'éternue pas.

CHAPITRE III

– C'est un rêve! s'exclama Mike Roberts.

Ses yeux brillaient d'une joie sincère, sa ceinture semblait prête à exploser sous la pression de son ventre. Un gros bouddah heureux. Son bureau à l'ambassade US de Wireless Road donnait sur un petit *soi* (1) calme, à l'abri du tintamarre de la circulation. Malko l'avait trouvé en train de déguster une soupe chinoise apportée du coin de la rue, arrosée d'un verre de Gaston de Lagrange. Avec ses cheveux noirs un peu gras, sa chemise douteuse et son pantalon sans forme, il ne faisait pas vraiment honneur à son statut de diplomate. Mais Malko appréciait sa connaissance de l'Asie du Sud-Est et son honnêteté morale. C'était un homme qui avait fait de la libération de la Birmanie sa croisade personnelle.

– Vous croyez à l'histoire de Yé-Wé? demanda Malko.

Mike Roberts alluma une cigarette et rota.

– Prenons les éléments un par un, fit-il. D'abord Yé-Wé. George l'a observé depuis dix-huit mois. C'est un des principaux leaders étudiants. Il a payé de sa personne, a failli plusieurs fois être tué. Nous savons qu'il est très proche d'Aung San Suu-Kyi. Il a suivi trois mois d'entraînement militaire chez les Karens,

(1) Ruelle.

avec des instructeurs de chez nous. J'ai eu ses notes. Il est très doué, malgré son apparence fragile. Pour une fois, nous avons un bon cheval.

– Et le général Thiha Latt?

– C'est une autre paire de manches, avoua l'Américain. Il dirige d'une main de fer le NIB qui coiffe tous les services birmans, le *Bureau of Special Investigations*, la police politique, le *Military Intelligence Service*, le plus dangereux, et le *Lon Htein*, la force de sécurité spécialisée dans la répression. Il est resté apparemment en dehors des massacres de septembre 88. Plusieurs sources nous ont affirmé que ses rapports avec Ne Win étaient exécrables. Il a protesté contre l'échange des billets de banque qui a ruiné les Birmans l'année dernière.

– Qu'est-ce que c'est que cela?

– Une histoire de fous! soupira l'Américain. En septembre 87, le gouvernement birman a décidé du jour au lendemain que les billets de soixante-quinze, trente-cinq et vingt-cinq kyats ne valaient plus rien. Ils étaient remplacés par des billets de quatre-vingt-dix et quarante-cinq kyats. Cela ruina la plupart des Birmans, qui utilisent très peu les banques.

– Mais pourquoi ont-ils fait cela? demanda Malko, estomaqué.

– C'est une décision de Ne Win qui est fasciné par le chiffre 9, et ses multiples. Son astrologue, passionné de numérologie comme lui, lui avait soufflé que ce changement lui porterait bonheur. D'ailleurs, toutes les grandes décisions sont prises un 9, un 18, un 27... Le grand massacre des étudiants a eu lieu le 18 septembre...

« Le général Latt est également inquiet à cause du boycott international de la Birmanie, continua Mike Roberts. Les Japonais ont suspendu leur aide et exigent des élections libres. Nos homologues japonais nous ont fait savoir que Latt avait manifesté son désir d'ouverture dans des conversations privées.

Un ange passa, des étoiles de général sur les ailes. On

se serait cru en Roumanie. Les tyrans finissaient toujours trahis par les leurs.

– Et s'il joue son propre jeu? suggéra Malko.

L'Américain hocha la tête.

– Il sera balayé comme Egon Krentz en Allemagne de l'Est! Aung San Suu-Kyi est trop populaire. Je crois que nous tenons une opportunité sérieuse.

L'ange repassa. L'opportunité consistait à aller voir dans un haut fourneau s'il faisait chaud... Mike se gratta le ventre : la faim recommençait à le tenailler.

– C'est vraiment un pays de fous, conclut Malko.

– Tenez, fit l'Américain, voilà le général Thiha Latt.

Il fouilla dans ses dossiers et sortit une photo avec plusieurs militaires, l'un d'eux entouré d'un cercle. Une tête ronde, des lèvres minces et des yeux à l'expression fixe.

Malko la reposa.

– Que faisons-nous?

– J'envoie un télex à Langley immédiatement, dit Mike Roberts. Pour une décision de cette importance, je suis obligé de me couvrir. Ils vont soumettre l'affaire au National Security Council qui a lieu aujourd'hui. Nous aurons une réponse demain. En attendant, profitez de Bangkok... Si vous voulez, je vous rejoins déjeuner à l'*Oriental*.

– A tout à l'heure, dit Malko.

Les vingt-quatre heures s'étiraient. Pour le troisième jour consécutif, Malko était en train de bronzer à la piscine de l'*Oriental*. A côté de lui, le décorateur Claude Dalle, arrivé de Tokyo, étalait sur les chaises longues ses dernières créations devant des Japonais éblouis.

Le soleil tombait et il allait remonter quand il aperçut la silhouette rondouillarde de Mike Roberts traversant le jardin. Il héla l'Américain.

Ce dernier vint se laisser tomber sur la chaise longue

juste abandonnée par un homosexuel aux cheveux teints, avec un soupir ravi.

— Ça y est! Ils sont d'accord.

— Apparemment, cela n'a pas été facile, remarqua Malko.

Le gros homme s'essuya le visage.

— Ces cons ne connaissent rien à l'Asie. Et puis le COS de Rangoon a tout fait pour me savonner la planche. Enfin, je les ai convaincus. C'est une mission de première importance. Ils m'ont même débloqué un budget honnête. Heureusement que j'ai des copains à la Direction des Opérations.

— Pratiquement, demanda Malko, comment cela va-t-il se passer? Ça ne doit pas être facile de m'infiltrer en Birmanie, puisque le pays est pratiquement fermé.

— George s'en est occupé depuis votre arrivée, affirma l'homme de la CIA. Comme il est au mieux avec les officiels du tourisme birman, il va vous faire passer pour un agent de voyage. Ils ont besoin de dollars en ce moment. En plus, en principe, vous ne risquez rien puisque celui que vous allez rencontrer est le patron des Services...

Malko ne voulut pas doucher l'enthousiasme du numéro deux de la CIA en Thaïlande. Et puis, c'était l'hiver : comme chaque année, le château de Liezen exigeait son cortège de réparations, toutes plus coûteuses les unes que les autres. Elko Krisantem avait beau s'y entendre à terroriser les divers corps de métier, il fallait quand même les payer de temps à autre. En plus, Malko venait de s'offrir, pour remplacer un meuble détruit lors de l'attaque de son château(1), un somptueux berceau Louis XV avec des applications en bronze doré, créé par Claude Dalle. Malko n'était pas près de pouvoir abandonner la CIA et ses missions tordues. D'autant que la liste de ses succès s'allongeait, lui donnant une réputation d'homme à tout faire.

---

(1) Voir SAS n° 62, Vengeance romaine.

L'écho de sa dernière mission en Colombie était remonté jusqu'à la Maison Blanche.

– Supposons que tout se passe bien avec ce général Latt, avança-t-il. Ensuite?

– Vous me faites un rapport complet et détaillé que j'envoie à Langley, répliqua l'Américain. De là, il ira à la Maison Blanche et le général Thiha Latt sera officiellement intronisé comme un de nos poulains. A condition qu'il tienne ses promesses, bien entendu. Les élections ont lieu dans quatre mois.

– Et Aung San Suu-Kyi? Il est indispensable de la joindre afin de vérifier les dires de ce général.

Mike Roberts se fendit d'un sourire malin :

– Ça sera le premier test! Vous allez exiger de la voir, ce que personne n'a pu faire depuis le début de la résidence surveillée. Sa maison est cernée avec une sentinelle tous les deux mètres, son personnel a été remplacé par des militaires et seul son vieux secrétaire U Tun l'approche. Son téléphone a été coupé et son courrier est intercepté. Une vraie morte vivante.

Encourageant...

– Bien, conclut Malko. Je vais aller à Rangoon. Au cas où ma rencontre avec le général ne serait pas idyllique, vous m'avez prévu un contact local pour une possible exfiltration?

– Bien sûr, affirma l'Américain. Allons bouffer, je vais vous expliquer cela.

Malko notait des numéros de téléphone, tandis que Mike Roberts s'empiffrait de riz frit. Il tendit un doigt boudiné vers son vis-à-vis.

– Cette Andrea Meyer est allemande. Vous vous entendrez bien. Elle fait des petits trucs pour nous, pas toujours connus du COS. Son mari est sympa, mais pédé. Court les petits garçons comme un fou. Elle connaît bien la Birmanie et vous pouvez la contacter sans crainte d'éveiller l'attention : elle s'occupe des questions de tourisme dans notre ambassade. Cependant, faites très attention au téléphone.

– J'ai apporté d'Europe mon pistolet extra-plat, dit Malko.

– Laissez-le-moi. Je vais vous le faire parvenir par la valise. Andrea vous le remettra. Mais je pense que vous n'en aurez pas besoin.

On disait toujours cela, avant.

– George Kearod ne vient pas à Rangoon? demanda-t-il.

– Je ne sais pas, avoua Mike Roberts, mais il va tout vous organiser. J'ai pris rendez-vous pour vous. Il vous attend demain matin, à son agence de voyage. Je pense que vous pourrez partir dans deux jours. Il peut obtenir un visa très rapidement. Par Andrea Meyer, vous me tiendrez au courant. Et dites-en le moins possible à Jack Mankoff, le COS, si vous le voyez.

George Kearod tendit à Malko son passeport avec un visa tout neuf pour la Birmanie, valable pour quinze jours. Ils se trouvaient dans les bureaux de Skyline Travel où l'Américain paraissait connaître tout le monde. La ravissante Thaï qui préparait le voyage de Malko était sa maîtresse en titre et n'arrêtait pas de pouffer à toutes ses plaisanteries.

– Voilà, avec ça vous ne risquez rien, conclut-il. Vous êtes booké au *Strand Hotel*, en pleine ville. J'ai fait prévenir les gens de Myanma Turism, à Rangoon, que vous aviez vos propres moyens de transport et que vous étiez un de mes amis. Dès que vous serez arrivé, vous appellerez chez moi, il y a ma bonne, Myunt Myunt, une Karen qui sait conduire. Elle est à votre disposition ainsi que ma Toyota. Prenez avec vous beaucoup de dollars, elle vous les changera au marché noir. 50 kyats(1) pour un dollar, au lieu de 7.

(1) Prononcez « chiat ».

– Et les contacts avec le général Latt?

– C'est Yé-Wé qui va vous les donner ce soir. Nous nous retrouvons à la terrasse de l'*Oriental*, vers huit heures.

– Vous savez où le trouver?

– Pourquoi?

– Il m'a appelé ce matin, à l'*Oriental*, mais je n'étais pas là, et il n'a pas laissé de numéro où le joindre.

– Ah bon!

George Kearod semblait surpris, presque contrarié, le regard encore plus fuyant que d'habitude. Il tendit à Malko une enveloppe remise par sa copine.

– Voilà, vous êtes un agent de voyage autrichien qui cherche de nouveaux circuits.

« Quand vous désirerez rencontrer quelqu'un tranquillement, allez chez moi. Il n'y a pas de micros et les voisins sont habitués à y voir des étrangers.

Il eut un gros rire.

– N'oubliez pas non plus que les Birmanes, si elles sont très pudiques, ne portent pas de culotte. Si elles enlèvent leur longyi, c'est dans la poche! Et là-bas, il n'y a pas de Sida. A propos, emportez tout ce que vous pourrez trouver de produits de maquillage. Il n'y en a pas à Rangoon et les Birmanes sont très coquettes. Excellent moyen d'approche.

Malko empocha les billets d'avion, le passeport et les *vouchers*. George Kearod semblait tout d'un coup étrangement nerveux. Il prit congé rapidement et Malko le vit sauter dans le premier *sam-lo* qui passait. La petite Thaï joignit les mains et lança :

– Bon voyage *Ulé* Malko.

Dans ces pays, on ne connaissait que les prénoms.

*
**

Malko regardait CNN sur la télé Akai de sa chambre quand le téléphone sonna. C'était la voix enjouée de George Kearod.

– Il y a eu un petit changement, annonça-t-il. Le

rendez-vous est remis à dix heures, au *Pink Panther*, dans Patpong Road II. OK?

Décidément, George Kearod ne pouvait pas se passer de Patpong.

— D'accord, fit Malko.

Une foule de touristes allumés se pressaient dans l'escalier menant au premier étage du *Pink Panther*, réservé au live-show. Au rez-de-chaussée, les habituelles go-go girls se démenaient sur leurs podiums sans trop d'énergie. George Kearod, traînant Yé-Wé, se fraya un chemin dans la foule, Malko sur ses talons. Visiblement, il connaissait tout le monde : le videur à l'entrée l'accueillit avec une grande tape sur l'épaule et une fille en guêpière alla les installer immédiatement à une table en face de la scène. Un garçon y posa une bouteille de Johnny Walker Carte noire et des verres. Encore un endroit où George Kearod était honorablement connu. Les gens s'entassaient déjà autour d'un podium rectangulaire encore vide. Un barbu fit un signe à l'Américain qui souffla à Malko :

— C'est le patron, un copain.

Une autre belle tronche de voyou...

Yé-Wé ne semblait pas dans son assiette, le regard sans cesse mobile, presque affolé. Malko se pencha vers lui pour crier, à cause de la musique :

— Pourquoi vouliez-vous me joindre ce matin?

George Kearod répondit aussitôt à sa place.

— Il avait besoin d'argent... Il faudrait que vous lui laissiez mille dollars. Sinon, il a 20 baths par jour pour survivre. Il peut tout juste acheter du riz. Hein, Yé-Wé?

— Oui, oui, fit le jeune Birman, répétant automatiquement : j'ai besoin de dollars.

Son regard fuyait Malko. Ce dernier n'arrivait pas à comprendre pourquoi. Les choses se déroulaient pourtant normalement.

Un coup de gong, et un couple monta sur le podium. Une Thaï en bikini, assez ronde, et un garçon d'une maigreur extraordinaire. Ils commencèrent une sorte de ballet érotique, se déshabillant l'un l'autre sans beaucoup d'enthousiasme. Les touristes regardaient, muets d'excitation. Maintenant, la fille était penchée sur le ventre de son partenaire et lui administrait une fellation consciencieuse. George Kearod glissa à l'oreille de Malko :

– Yé-Wé m'a expliqué qui vous deviez contacter à Rangoon. C'est une antiquaire, une grosse Chinoise, qui s'appelle Chit-Kin. Dans Bon-Tha Road, au cœur du quartier chinois. Au premier étage, au numéro 45. Tout le monde connaît.

– Je ne vais pas attirer l'attention?

– Non, il y a beaucoup de passage chez elle. Tous les touristes y vont.

– Et comment va-t-elle me reconnaître, dans ce cas?

George se rengorgea.

– C'est simple, en arrivant, vous lui direz « Lalli Wallo ».

– Qu'est-ce que cela signifie?

– Tu es grosse, tu es belle! C'est un compliment birman pour les femmes. Aucun étranger ne peut le connaître. Et moi, je la salue toujours de cette façon. Elle a été prévenue par un messager, sur les instructions de Yé-Wé.

Sur la scène, le garçon maigre venait de se redresser. Un sexe disproportionné jaillissait de son corps maigre, encore plus obscène. Il tourna lentement sur lui-même afin de le montrer à l'assistance, puis empoigna sa partenaire par la taille et s'enfonça d'un coup dans son ventre, jusqu'à la garde.

On aurait entendu voler une mouche.

Une expression extasiée de commande apparut sur le visage de la fille tandis qu'il la martelait lentement. Lui levant une jambe, la faisant pivoter, la renversant en arrière, toujours chevillée à lui. De temps en temps, il se retirait afin de bien montrer sa raideur triomphante, puis rentrait son engin. La fille se mit docilement à quatre pattes et il la prit par-derrière dans un concert de cris de plaisir simulés.

— Vous n'aurez pas cela à Rangoon! ricana George Kearod dans son oreille. L'endroit le plus gai, c'est le bar du *Strand* et cela ressemble à un cimetière... Les courses de rats et les chasses aux cafards sont les seules distractions.

Malko reporta son attention sur Yé-Wé. Celui-ci paraissait de plus en plus nerveux et ce n'était pas le show : il lui tournait le dos. Malko éprouvait une impression de malaise désagréable. A plusieurs reprises, il avait intercepté le regard du jeune Birman comme si ce dernier voulait lui dire quelque chose, mais dès que George s'en apercevait, aussitôt, Yé-Wé détournait les yeux. Il essaya d'en savoir plus :

— Vous avez trouvé un logement?

Le visage de Yé-Wé s'éclaira.

— Oui, oui, je peux vous donner l'adresse, c'est dans un *soi*, 65 Rajawithee Road, au troisième étage, une toute petite chambre. Il y a un antiquaire au rez-de-chaussée. En réalité, je couche dans son dépôt. Mais j'ai une machine à écrire et de la lumière.

Malko nota l'adresse. Même s'il n'avait pas le temps de le voir avant son départ, Mike Roberts irait rendre visite au jeune Birman. Quelque chose l'intriguait. Yé-Wé avait visiblement envie de lui transmettre un message directement, sans passer par George Kearod. Probablement une histoire de fric.

— Demain, avant de partir, proposa-t-il, je viendrai vous apporter les mille dollars.

George Kearod approuva chaleureusement.

— Si vous pouviez aussi lui dénicher une arme! Il n'est pas entièrement en sécurité à Bangkok. Les agents de la Sécurité birmane traquent les étudiants jusqu'ici, les font enlever ou assassiner. Plusieurs des amis de Yé-Wé ont déjà disparu et on a retrouvé leurs corps dans des *khlongs* (1).

(1) Canaux.

– Je transmettrai à Mike, fit Malko sans se compromettre.

Soudain, Yé-Wé se leva avec un sourire d'excuse et se dirigea vers les toilettes.

– Il n'a pas l'air bien, remarqua Malko.

– Il est très nerveux, admit George Kearod. Ici, il se sent presque aussi menacé qu'à Rangoon.

Yé-Wé revint à la fin du live-show. Quelques instants de vide puis une fille apparut, vêtue d'un seul slip, une sarbacane à la main.

George Kearod se versa une bonne rasade de Johnny Walker et s'installa confortablement. La fille, après quelques contorsions supposées sensuelles, venait d'enlever son slip et de s'allonger à plat dos sur une natte, les jambes écartées, le sexe ouvert et rasé face à eux. L'assistance retenait son souffle. Soudain, Malko sentit des doigts se rapprocher des siens. Du coin de l'œil, il vit que Yé-Wé posait la main sur la sienne... Ou il avait des mœurs contre nature, ou il voulait lui dire quelque chose. Intrigué, il ne broncha pas.

George lui donna un coup de coude.

– Regardez!

La fille avait glissé une sorte de fléchette dans sa sarbacane, puis enfoncé une extrémité de l'engin dans son vagin. Elle dirigea le tube vers un panneau, non loin d'eux, où étaient accrochés une dizaine de ballons multicolores, et contracta brusquement les muscles de son ventre.

« Clac »! Un des ballons venait d'exploser, percé par la fléchette! Tonnerre d'applaudissements. Déjà, elle introduisait une autre fléchette dans le tube et se le remettait à la même place... Malko sentit un bout de papier sous ses doigts. Yé-Wé essayait de lui passer quelque chose. George se retourna au même moment et aperçut sa main posée sur celle de Malko. Les reflets de ses lunettes empêchaient qu'on puisse voir son expression, mais il croisa le regard de Yé-Wé. Aussitôt, ce dernier retira sa main, tenant toujours le papier.

Les explosions se succédaient. Méthodiquement, les ballons crevaient les uns après les autres.

Soudain, Yé-Wé poussa un cri léger. Malko aperçut, fichée dans sa joue, une des minuscules fléchettes lancées par la fille, qui avait mal visé! Le Birman l'enleva délicatement tandis qu'elle continuait son numéro. George lança, hilare :

— Tu iras la voir après, elle te consolera...

Yé-Wé eut un sourire contraint. Malko avait hâte que ce numéro débile se termine. Pour prendre Yé-Wé seul à seul. Il se pencha :

— Vous voulez rester encore?

Le jeune Birman se tourna vers lui. Malko vit immédiatement que quelque chose n'allait pas. Yé-Wé était livide, les prunelles rétrécies, les traits comme rétractés. Sans un mot, il glissa soudain de son tabouret et tomba à terre. Malko se précipita. En voyant ses yeux déjà fixes, il comprit immédiatement.

La lanceuse de flèchettes venait de se relever, son numéro terminé, et quitta le podium par le côté opposé. Les spectateurs se levaient, sans prêter attention au corps étendu. George se pencha sur Yé-Wé.

— Qu'est-ce qu'il a?

— Il est mort, dit Malko. Empoisonné.

Le visage du Birman était bleuâtre, déjà cyanosé. La flèchette devait être enduite de curare, de cyanure ou d'un poison végétal similaire... George Kearod semblait pétrifié. Malko se releva, renversant son tabouret.

— Vite, il faut retrouver cette fille.

CHAPITRE IV

Malko et George Kearod perdirent un temps précieux en se frayant un chemin dans la foule compacte des spectateurs qui s'en allaient. Ensuite, il fallait encore parlementer avec le « gorille » thaï qui interdisait l'accès des coulisses du *Pink Panther*. Les deux hommes débouchèrent enfin dans une petite pièce sordide meublée uniquement de tabourets, violemment éclairée par des ampoules nues, où les « artistes » mâles et femelles s'entassaient. Certains étaient assis sur leurs talons à même le sol, quelques filles se remaquillaient. Cela sentait la sueur, le parfum et ce vague fumet gras de l'Asie.

Une porte s'ouvrait au fond sur un couloir donnant lui-même sur la sortie du personnel. Malko regarda autour de lui : la fille à la sarbacane avait disparu. Il se tourna vers George Kearod.

— Interrogez-les!

George Kearod le fit en thaï, et traduisit à Malko :

— Elle est partie, tout de suite après son numéro. Ils ne savent rien d'autre. Il faut demander au patron.

Ils regagnèrent la salle en train de se vider. On avait jeté un drap sur le corps de Yé-Wé, gardé par deux serveurs.

— Allez chercher le patron, intima Malko à George.

L'Américain se dirigea vers le bar. Malko se pencha sur le cadavre, souleva le drap et regarda les mains du

jeune Birman. Son visage avait viré à une sorte de bleu
ardoise. Il desserra les doigts de sa main droite et
aperçut un bout de papier plié. Il s'en empara mais
n'eut pas le temps de lire : George Kearod revenait avec
le patron, un barbu européen à l'allure simiesque.

– Il ne connaît pas cette fille, annonça l'Américain.
Elle remplaçait celle qui fait ce numéro habituellement.
Elles sont une douzaine à Bangkok à pratiquer ce truc.
Il faut attendre demain pour que l'autre réapparaisse.

– Demain je serai à Rangoon, remarqua Malko.

– Je m'en occuperai avec la police thaï.

Le barbu, pas ému, se détourna pour accueillir deux
policiers thaïs qui arrivaient sans se presser. Plutôt
boudeur : cet incident allait lui coûter un backchich
s'ajoutant à tous ceux qu'il versait déjà pour fonction-
ner tranquillement. Malko et George Kearod n'avaient
plus rien à faire. Ils s'éclipsèrent. En bas, une nouvelle
vague de touristes attendait le prochain show. Tandis
qu'ils s'éloignaient dans Patpong Road, Malko
demanda :

– Par qui Yé-Wé a-t-il été assassiné?

– Par des agents des Services birmans, dit aussitôt
George Kearod, il y a longtemps qu'ils voulaient sa
peau. Ils ont payé la fille et vont probablement la
liquider.

– Comment savaient-ils que Yé-Wé serait au *Pink
Panther* ce soir? demanda Malko.

– Je ne sais pas, avoua l'Américain. C'est Yé-Wé qui
m'avait demandé de changer le rendez-vous. Il avait
envie de voir à quoi ça ressemblait. Il en avait peut-être
parlé à un ami.

– Bien, bien sûr, fit Malko distraitement.

Depuis leur première rencontre, il avait eu l'impression que George Kearod faisait écran entre lui et
Yé-Wé. Pourquoi? Sa sensation de malaise augmentait.

– On ne peut pas retrouver maintenant celle qui fait
le numéro habituellement? demanda-t-il. Pour remonter
à l'autre.

– Le patron ne sait pas où elles habitent. Elles changent tout le temps. Il connaît à peine leur nom et il s'en fout. Ici, il n'y a ni sécurité sociale ni contrat. On les paie tous les mois. Quand elles disparaissent, tant mieux.

– Ce n'est pas bon signe, remarqua Malko pensivement. Pourquoi les Services birmans ont-ils liquidé Yé-Wé s'ils se préparent à traiter avec les Américains?

– Cela n'a rien à voir, expliqua George Kearod. Ça, c'est un deal hyper-secret. Les subordonnés du général Latt ne sont pas au courant et continuent leur boulot : éliminer les gens comme Yé-Wé. Cela ne veut pas dire que Thiha Latt joue un double jeu. Mais c'est terrible. Je m'étais beaucoup attaché à Yé-Wé.

Ils s'étaient arrêtés au coin de Silom Road. Il n'y avait plus rien à faire pour ce soir.

– Bien, dit Malko. Appelez Mike demain en fin de matinée, on verra bien ce qu'on décide.

George discuta âprement pour lui le prix d'un taxi et il fila sur Silom vers l'*Oriental*. Le meurtre brutal de Yé-Wé posait de nombreuses questions. Depuis le début de la soirée, l'étudiant birman avait cherché à lui dire quelque chose à l'insu de George Kearod, le papier que Yé-Wé avait essayé de transmettre à Malko au *Pink Panther*. Malko le déplia. Il n'y avait qu'un numéro, maladroitement écrit : 71106, ainsi qu'un nom : You-Yi.

Dès qu'il retrouva sa suite de l'*Oriental*, il composa ce numéro. En vain. Un disque en anglais lui apprit qu'il n'existait pas... A moins qu'il ne s'agisse d'un numéro en Birmanie. Mike Roberts pourrait peut-être lui apporter quelques éclaircissements. Pensif, il contempla longuement la Menam Chao Phraya où seules quelques jonques pétaradaient encore.

**
*

– C'est un numéro de Rangoon ou de Mandalay, affirma Mike Roberts. Cinq chiffres. Quant au nom, il est chinois, mais beaucoup de Birmans sont d'origine chinoise.

– Vous êtes sûr de George Kearod? demanda Malko à brûle-pourpoint.

Le gros homme leva la tête vers Malko, visiblement embarrassé. Malko lui avait relaté le meurtre de Yé-Wé, sans lui faire part de ses doutes.

– Oui. Comme on peut être sûr d'un type qui travaille avec vous depuis près de vingt ans... C'est pratiquement notre seul informateur en Birmanie. Il a donné des tas d'informations vérifiées, il a sympathisé selon nos instructions avec les étudiants en révolte. Nous avons contrôlé sa loyauté à plusieurs reprises... Il n'est ni pédé ni communiste et il n'a pas de grands besoins d'argent.

– Les Birmans ne le tiendraient pas par des histoires de femme?

L'Américain eut une moue sceptique.

– George est célibataire. Pas moyen de le faire chanter. Et là-bas, les histoires de fesses n'ont pas une grande importance.

– L'attitude de Yé-Wé était quand même bizarre, insista Malko. Pourquoi se méfiait-il de George? En plus, j'ai l'impression que celui-ci ne voulait à aucun prix que Yé-Wé reste en tête à tête avec moi...

– Vous aviez pourtant rendez-vous aujourd'hui...

– C'est vrai, reconnut Malko, mais il est mort entre-temps. Et George voulait venir de toute façon.

Mike Roberts lui jeta un regard horrifié.

– Vous ne pensez quand même pas que c'est George qui l'aurait fait assassiner...

– Je ne suis sûr de rien, dit prudemment Malko, mais je sens quelque chose de pas clair. Peut-être Yé-Wé ne faisait-il pas confiance à George pour une raison étrangère à notre affaire. Peut-être George savait-il sur lui quelque chose d'embarrassant... Nous sommes dans le noir.

– Vous voulez retarder votre départ?

Il y avait un peu d'anxiété dans la voix de Mike Roberts. Cette histoire, c'était son bébé... Malko ne voulut pas lui dire qu'il y pensait. L'Américain s'empressa d'enchaîner :

– Si vous ne partez pas aujourd'hui, cela va prendre du temps pour réorganiser quelque chose. Quant à George, je peux vous le garantir.

Son désir de voir Malko commencer sa mission était presque pathétique. Ce dernier bascula un peu par sympathie, un peu par défi.

– Je vais partir, dit-il, comme prévu.

– J'ai un copain au Criminal Investigation thaï, dit aussitôt l'Américain. Je vais faire l'impossible pour tirer cette histoire au clair.

« Il y a déjà eu des cas similaires; les Services birmans utilisent beaucoup le poison ou le poignard. Je pense que, pour le reste, il s'agit de coïncidences... Mais c'est votre peau et vous êtes libre de ne pas me croire.

– Je vous fais confiance, fit Malko.

Mike Roberts exprima son soulagement en tirant de son bureau une bouteille de Gaston de Lagrange déjà largement entamée. Devant le refus poli de Malko qui ne buvait pas d'alcool à une heure aussi matinale, il s'en versa un grand verre qu'il huma, avec délices.

– Je vais mettre George sur le gril dès ce soir, nous dînons ensemble, poursuivit-il. Et suivre de près l'enquête de la police thaï. Je transmettrai le résultat à Jack Mankoff, le COS de Rangoon.

– Je croyais qu'il ne voulait pas se mêler de cette histoire...

Mike Roberts eut un grand rire soulagé.

– Quand même! On travaille pour la même maison... Il est obligé de transmettre ce qu'on lui envoie d'ici. En plus, c'est un type plutôt sympa. Un peu trop prudent, c'est tout.

Malko se leva.

— Bien. Souhaitez-moi bonne chance.

— Je prierai pour vous tous les jours, affirma Mike Roberts.

*

George Kearod attendait Malko dans le hall climatisé de l'*Oriental*. Il se précipita vers lui.

— Il y a du nouveau! On a retrouvé la fille qui a tué Yé-Wé.

— Où?

— Dans un khlong. La gorge tranchée. La police thaï assure qu'elle a été exécutée hier soir, tout de suite après son meurtre. On avait dû lui promettre de l'argent et on l'a payée comme ça. Ces salauds de Birmans!

L'enquête s'arrêtait net. Malko voulut quand même lever l'hypothèque qui le tracassait.

— Yé-Wé ne semblait pas dans son assiette hier soir, remarqua-t-il. Vous n'avez rien remarqué?

George Kearod approuva vigoureusement.

— Si, je sais. C'était un garçon très sentimental. Sa fiancée est restée à Rangoon et il voulait lui transmettre un message. Je le lui avais fortement déconseillé mais c'était plus fort que lui. Je crois qu'il avait l'intention de vous le demander en cachette. Il ne vous en a pas parlé?

— Si, dit Malko.

Soulagé. Enfin l'explication de l'attitude étrange de Yé-Wé.

— Que vous a-t-il dit exactement?

— En fait, il n'a pas eu le temps de m'en parler. Mais, juste avant sa mort, il a essayé de me donner un papier sur lequel il y avait un nom — You-Yi — et un numéro de téléphone.

— Vous l'avez toujours?

– Non, je l'ai donné à Mike, répondit Malko, sans préciser qu'il avait mémorisé le numéro.

– Pauvre Yé-Wé, fit l'Américain tristement. Comme tous les Birmans, il était très sentimental. Lui qui voulait consacrer sa vie à la révolution! En tout cas, n'essayez surtout pas de contacter cette You-Yi. Elle est sûrement surveillée.

George Kearod avait ôté ses lunettes et fixait Malko de ses yeux de myope. L'air sincèrement angoissé.

– Je serais prudent, dit Malko. Mais ce meurtre ne vous étonne pas? demanda-t-il, revenant à la charge.

– Pas vraiment, affirma l'Américain. Les Services birmans traquent en permanence les gens comme Yé-Wé et ce ne sont pas dès êtres subtils.

– J'espère en tout cas que la filière qu'il m'a donnée est bonne, fit Malko. Vous ne venez pas à Rangoon?

George Kearod secoua la tête.

– Je ne sais pas encore, cela dépend de mes autobus. Mais si je viens, j'arriverai à vous prévenir. Je ne vous accompagne pas à l'aéroport. C'est plein de mouchards au départ des vols pour Rangoon.

Ils se serrèrent longuement la main et Malko monta dans la limousine de l'*Oriental* qui l'attendait.

Yangon Airport. L'inscription s'étalait sur toute la longueur d'un bâtiment blanc pouilleux. Malko mit quelques secondes à réaliser que Yangon était le nom birman de Rangoon. L'Airbus de la *Thaï* était bourré, les gens préférant nettement cette compagnie aux avions de *Burma Airways* qui tombaient comme des mouches. En dix ans, leur flotte était passée de quinze appareils à cinq... Très peu d'étrangers avec lui, surtout des Birmans reconnaissables à leur longyi, et des Thaïs.

Il prit la queue pour les formalités d'immigration. Il n'y avait pas de climatisation dans l'aéroport et c'était la pagaille noire. Derrière les policiers de l'Immigration, des civils inspectaient avec suspicion les arrivants : des hommes des Services. On fouilla soigneusement la valise de Malko puis son attaché-case. Enfin, une minuscule Birmane surgit et l'attira à l'écart.

– Mister Malko, annonça-t-elle, je suis employée par Myanma Travel. Mr. George nous a avertis de vous donner le traitement VIP puisque vous travaillez dans le tourisme. Nous vous avons réservé une très bonne chambre au *Strand Hotel*. Une voiture va vous y emmener.

Il ne fallut guère plus d'une heure pour récupérer les bagages...

Malko retrouva sa guide à la sortie après avoir changé cent dollars au taux officiel de 7 kyats pour un dollar. A ce change-là, la Birmanie était plus chère que le Japon...

Dehors, presque pas de voitures, mais d'innombrables cyclo-pousses dont certains avaient un side-car accroché au côté.

A bord d'une vieille Peugeot, ils filèrent sur une large avenue bordée d'une végétation luxuriante, croisant de curieux bus verts antédiluviens chargés à ras bord. Les piétons pullulaient sur le bas-côté. Très peu de voitures privées. On se serait cru revenu cinquante ans en arrière. De minuscules véhicules japonais, des Mazda, servaient de taxis collectifs avec deux bancs sur une plate-forme où s'entassaient une douzaine de passagers.

La ville ressemblait à un immense parc, avec ses petites maisons noyées dans la verdure. Alors qu'ils descendaient Kaba Aye Pagoda Road, la guide désigna à Malko la pointe dorée d'une énorme pagode.

– *Shwedagon Pagoda, very beautiful!*

La plus grande du monde, aux dimensions impressionnantes. La verdure se faisait plus rare, laissant place à des avenues se coupant à angle droit, encombrées de cyclistes et de rickshaws. Les trottoirs grouillaient de marchands en plein air et d'une foule animée. Tous les hommes et les femmes drapés dans le traditionnel longyi. Malko aperçut les mâts de quelques cargos ancrés sur la Rangoon River, juste en face du *Strand Hotel*. Un demi-siècle plus tôt, c'était sûrement un des joyaux de l'hôtellerie anglaise. Aujourd'hui, avec ses colonnades ocre lépreuses et les climatiseurs dépassant de chaque fenêtre comme de gros bonbons, la bâtisse avait l'air d'un diplodocus échoué dans la vase de la Rangoon River.

L'intérieur – acajou, immenses plafonds et ventilateurs – sortait directement d'un roman de Somerset Maugham. Les chambres se répartissaient le long de deux galeries dominant une sorte de patio.

L'ascenseur où avait pris place Malko s'ébranla avec un couinement désespéré, mais parvint néanmoins au second étage.

Quand le garçon ouvrit la porte de la « suite » une nuée de cafards gras et agiles s'enfuirent dans tous les coins. Des échafaudages bouchaient la vue, le plafond tombait en morceaux et la salle de bains aurait fait honte à un camp de concentration.

– Il y a de l'eau chaude seulement entre huit heures et huit heures et demie le matin, précisa le garçon avec un sourire désolé.

Il y avait quand même un téléphone. Sûrement surveillé. Malko demanda aussitôt le numéro de George Kearod à Rangoon. Une voix de femme qui parlait très mal anglais lui répondit.

– Je suis l'ami de George, je suis juste arrivé à Rangoon, annonça Malko.

– *Yes, Yes,* répondit Myunt Myunt. Je viens vous chercher... Quelle chambre ?

Malko la renseigna et composa ensuite le numéro d'Andrea Meyer. Il eut immédiatement la jeune diplomate à qui il s'adressa en allemand comme s'ils se connaissaient depuis toujours. Elle fut parfaitement naturelle.

– Venez dîner à la maison, proposa-t-elle. Je vous envoie une voiture à l'hôtel. Assez tôt, à cause du couvre-feu. Disons sept heures.

**
*

– On vous attend en bas, annonça la standardiste.

Malko évita l'ascenseur asthmatique pour le grand escalier. Une jeune Birmane au visage grêlé, avec une longue natte, s'inclina devant lui.

– Je suis Myunt. Myunt. Mr. George m'a dit de m'occuper de vous. J'ai la voiture. Vous voulez aller en ville?

– Oui, dit Malko. J'ai envie de voir un peu les antiquaires.

– Il n'y en a pas beaucoup, avertit la Birmane, et ils n'ont pas grand-chose.

Son anglais était compréhensible... Malko la suivit jusqu'aux débris d'une Toyota qui tenait seulement par la peinture. La troisième vitesse ne passait pas et dépasser le 40 à l'heure les mettait en danger de mort. Une buée tiède s'échappait par les entrées du conditionnement d'air et Myunt Myunt guettait anxieusement les hoquets du moteur. Elle l'emmena dans les avenues animées du centre voir des boutiques sans intérêt qui n'offraient que des fausses antiquités et des bois sculptés. Lorsque Malko estima qu'il avait assez donné le change, il lui dit :

– Vous connaissez l'antiquaire Chit-Kin?

Elle connaissait.

Peut-être troublée, elle faillit griller un feu et recula sous le regard courroucé d'un policier en casque blanc. Les Birmans, en dépit de la circulation modeste, semblaient aussi disciplinés que des Suisses. Il faut dire qu'une contravention coûtait 200 kyats, la moitié de certains salaires mensuels. Ils retrouvèrent Merchant Street, une des grandes avenues est-ouest du bas de la ville, et passèrent devant l'ambassade américaine. Planté sur le trottoir d'en face, un panneau proclamait : « A bas les pédés qui pactisent avec les impérialistes. »

Délirant...

Aux yeux de la Junte d'ailleurs, atteinte de xénophobie galopante, tous les étrangers étaient impérialistes. Même les Soviétiques qui les avaient beaucoup aidés, avant de jeter le gant...

Trois blocs plus loin, ils atteignirent le quartier chinois. Les odeurs changeaient, le grouillement augmentait. Myunt Myunt s'arrêta dans une rue transversale défoncée comme une piste africaine et montra un porche de l'autre côté avec un escalier raide et sombre.

– Chit-Kin, c'est là. Vous voulez changer dollars, *black market*?

Malko lui en donna 300 et descendit. Il faillit rentrer dans la voiture aussitôt. Des centaines de poissons séchés étaient étalés sur le trottoir dans une délicieuse odeur de charnier... Il traversa en hâte et s'engouffra dans le couloir. L'escalier ressemblait à une échelle noirâtre et crasseuse. Arrivé au premier, il frappa à une porte de bois. Presque aussitôt, un judas qui dominait la cage d'escalier s'ouvrit en face de lui. La face lunaire d'une Chinoise s'y encadra.

– M... Chit-Kin? interrogea Malko.

Le judas se referma. Quelques instants plus tard, des verrous claquèrent, la porte s'entrebâilla et il pénétra dans un capharnaüm dont l'odeur lui fit regretter celle de la rue... Carrément celle d'une fosse à purin.

Entassés partout, jusqu'au plafond, des meubles, des marionnettes traditionnelles, des tambours, des bois dorés, des bibelots. Au milieu de la pièce, un hamac où dormait en boule un vieux bonhomme pendait du plafond, retenu par quatre chaînes. Dans le fond, Malko aperçut une cuisine d'une saleté repoussante... La Chinoise qui lui avait ouvert écarta un rideau les séparant d'une autre pièce encore plus en désordre... Ebahi, Malko découvrit un vieux lit à baldaquin avec des tentures chinoises superbes mais en loques et d'autres entassements de porcelaine.

Sur le lit trônait une sorte de monstre adipeux, sans âge. A ses côtés, une tasse ébréchée et une théière en bleu de Hué. Les pieds nus étaient noirs de crasse et les yeux bridés porcins disparaissaient dans la graisse. La Chinoise susurra à l'intention de Malko :

– *Daw* Chit-Kin.

Surmontant son dégoût, celui-ci parvint à sourire et lança :

– Lalli Wallo!

Les mots mirent bien dix secondes à parvenir au cerveau de l'énorme Chinoise! Puis, elle éclata soudain d'un rire énorme qui la secoua tout entière, répétant sans arrêt les deux mots prononcés par Malko. Des larmes plein les yeux. Au moins, comme effet, c'était réussi... Elle finit par se calmer, tendit une main grassouillette et lui fit une place à côté d'elle. On apporta du thé. Malko qui sentait le regard malin de Chit-Kin posé sur lui s'habituait peu à peu à l'odeur pestilentielle. Chit Kin émit de nouveau son rire tonitruant, marmonnant « Lalli Wallo »...

– Je viens de la part de Yé-Wé, dit Malko à voix basse.

Chit-Kin reprit son sérieux d'un coup et hocha gravement la tête, disant à mi-voix :

– Oui, je sais, on m'avait annoncé votre arrivée. Ici, il n'y a pas de danger, tout le monde vient voir Chit-Kin.

Depuis que Malko était là, la porte de bois s'était ouverte trois fois. Les nouveaux venus s'installaient dans un coin de la grande pièce pour de mystérieux conciliabules. Chit-Kin semblait avoir une foule d'employés.

On leur apporta du riz frit et Chit-Kin balaya son royaume d'un geste encourageant.

– Il faut m'acheter quelque chose, comme ça les mouchards de la Special Branch ne voient rien. Moi, je téléphone pour vous.

Elle tira un antique téléphone de sous le lit, composa un numéro et se lança dans une conversation en chinois. Malko se mit à explorer le bric-à-brac, à la recherche d'un objet possible. Il fixa finalement son

choix sur une boîte de laque bleue qui avait passable-
ment souffert. En tout cas, la connexion de Yé-Wé
fonctionnait... Il n'était pas encore en présence du
général Thiha Latt mais il tirait le premier fil. Quand il
revint avec sa boîte bleue, Chit-Kin avait raccroché et
se goinfrait de riz frit. Elle hocha la tête avec approba-
tion.

– Très bien, c'est la plus belle. Et la plus chère...

De nouveau, elle se tordit de rire... Quand elle eut
reprit son sérieux, elle annonça :

– 1000 kyats! Pour le rendez-vous, il faut attendre un
peu. La personne va venir. Allez vous installer à côté.
Je dois recevoir d'autres visiteurs.

On frappa de nouveau à la porte. Malko, perché sur
une chaise chinoise horriblement inconfortable, vit deux
hommes et une femme qui s'engagèrent dans une
conversation à mi-voix avec Chit-Kin. Puis, un homme
seul, qui resta debout dix minutes avant qu'elle daigne
le recevoir. Discussion animée, moitié birman, moitié
chinois.

Qui allait-il rencontrer?

Une toute jeune Chinoise au visage très pâle poussa à
son tour la porte, un paquet de la taille d'une brique à
la main, enveloppé dans de vieux journaux... Malko
aperçut par une déchirure des billets de 90 kyats.
L'officine de Chit-Kin était visiblement le centre de pas
mal de trafics.

Enfin, la porte s'ouvrit sur une Asiatique d'une
quarantaine d'années, absolument superbe, bien qu'un
peu forte. Maquillée avec soin, élégante dans une robe
moulante, de hauts talons, les ongles longs et rouges.
Les yeux baissés, elle gagna la « chambre » de Chit-Kin
et repoussa le rideau derrière elle.

Quelques minutes plus tard, Chit-Kin appela Malko,
une lueur amusée dans ses petits yeux porcins. La
visiteuse était sagement assise au bord du lit. Elle
adressa à Malko un sourire radieux et Chit-Kin dit en
anglais :

– *Daw* May Sein. C'est la personne que vous deviez

rencontrer. Une grande amie de celui que vous avez vu à Bangkok.

Il n'y avait pourtant pas grand-chose de commun entre Yé-Wé, le timide étudiant, et cette créature pulpeuse. May Sein gazouilla en parfait anglais.

— Je suis très contente de vous rencontrer. Vous êtes un ami de George aussi, n'est-ce pas?

— Oui, admit Malko, un peu étonné.

Le cloisonnement ne semblait pas être le fort des Birmans... May Sein épousseta un fil sur son bas et précisa aussitôt :

— Je sais pourquoi vous êtes à Rangoon et qui vous voulez voir, mais ce rendez-vous doit être entouré du plus grand secret.

Elle se leva, apparemment prête à sortir.

— Comment vais-je vous joindre? demanda Malko.

— Dès que j'aurai une réponse je vous contacterai. J'appellerai Myunt Myunt, la servante de George, pour lui dire que je passe prendre des Kalagas(1). J'aurai un message pour vous.

Elle se leva et lui tendit une main qui semblait ne pas avoir d'os... Malko ignorait qu'il y eût un cinéma birman. En tout cas May Sein était plus que séduisante. Elle s'en alla dans un nuage de parfum.

Au même moment, une main écarta timidement le rideau qui les séparait de la grande pièce. Malko aperçut un ravissant visage triangulaire lisse comme un galet, une grosse bouche rouge et des yeux étirés de biche, très noirs. Une toute jeune femme. Chit-Kin lui fit signe d'entrer et elle se glissa dans la pièce. Malko en eut le souffle coupé. Elle était habillée à la birmane, avec une sorte de boléro moulant une poitrine très honorable pour une Asiatique et un longyi rose qui serrait une croupe ronde et cambrée. Elle échangea quelques mots avec Chit-Kin. Sur son ordre, elle alla farfouiller dans un coffre posé à terre et en sortit des tubes de rouge à lèvres, et différents produits de

(1) Tapisseries.

maquillage qu'elle enfouit aussitôt dans son sac. Plusieurs billets changèrent de main. Des dollars soigneusement pliés.

Les yeux baissés elle quitta aussitôt la pièce, sous le regard rigolard de Chit-Kin, qui éclata d'un rire grasseyant et lança :

— Quand on a des seins comme ça, on ne reste pas célibataire !

— Vous lui avez vendu du maquillage?

La grosse Chinoise se rengorgea.

— C'est le seul endroit à Rangoon où on en trouve. Pourtant, elle n'en a pas vraiment besoin. Elle est très belle. Elle a refusé d'épouser un général, parce qu'elle n'aime pas les militaires.

Devant le silence de Malko, elle lui lança un coup d'œil amusé.

— Si tu veux passer une soirée avec elle, tu me donnes une cartouche de 555 (1).

— Qu'est-ce qu'elle fait? demanda Malko machinalement.

— Elle est actrice, comme l'autre. Elle s'appelle You-Yi. En chinois, cela signifie « fleur de douceur ».

Malko sentit son pouls grimper vertigineusement. Le hasard avait mis sur son chemin la fiancée de Yé-Wé.

_____

(1) 555 State Express. Cigarettes anglaises.

CHAPITRE V

– *A friend is waiting for you at the bar* (1).
– J'arrive, fit Malko.

Il était sept heures pile. Il était revenu à l'hôtel une demi-heure plus tôt, alors que la nuit tombait déjà, directement de chez Chit-Kin. Myunt Myunt l'avait déposé au *Strand*, lui donnant rendez-vous pour le lendemain. Depuis son retour, il était partagé entre l'envie de téléphoner à la superbe You-Yi et la prudence. D'abord le téléphone de sa chambre était probablement sur écoute et ensuite, You-Yi pouvait l'être, elle aussi. La nuit lui porterait conseil... Il descendit, ayant troqué son jeans pour une chemise de voile et un costume d'alpaga ultra léger. Pourtant, il ne faisait pas une chaleur de bête dès que le soleil se cachait... Le grand bar, avec ses huit ventilateurs, était vide. Sauf une femme blonde, le dos appuyé au comptoir, qui la regardait venir.

Malko fut frappé par son masque d'insolente sensualité et son sourire animal reflétant une insatiable avidité pour le plaisir. Une somptueuse femelle dont les yeux gris le détaillaient avec une gourmandise à peine voilée.

A son tour, son regard la balaya. La robe de léger lainage blanc moulait des seins gonflés et compacts et

(1) Un ami vous attend au bar.

s'arrêtait très haut sur les cuisses, découvrant des jambes longues et fuselées. Une ceinture un peu trop serrée et des escarpins presque trop hauts ajoutaient une touche sulfureuse à un ensemble déjà explosif.

Avec un naturel parfait, elle embrassa Malko, frôlant la commissure de ses lèvres, comme s'ils se connaissaient depuis toujours.

– Je suis Andrea Meyer, dit-elle. Bienvenue à Rangoon.

Sa voix était chaude avec un accent bavarois prononcé. Malko ne s'attendait pas à une aussi bonne surprise. Si on les observait, les barbouzes du NIB ne verraient que des retrouvailles banales.

– Merci de vous être dérangée, dit-il.

– Oh, vous n'auriez jamais pu trouver! Et avec ce ridicule couvre-feu, il faut dîner tôt, *nicht war*? Venez.

Il la suivit jusqu'à une Mercedes 190 devant laquelle s'agglutinaient déjà une centaine de badauds. Un engin comme ça valait dix siècles de salaire d'un Birman moyen.

Andrea Meyer se glissa au volant et ils remontèrent Pansodan Street. En passant devant un bâtiment blanc gardé par un policier, avec des barreaux aux fenêtres du rez-de-chaussée, la jeune Allemande annonça :

– Voilà le siège du BSI. Ceux qui « veillent » sur nous... Ils ont des centaines de mouchards dans la ville. Nos lignes sont écoutées et nous sommes souvent suivis. Mais ils ne nous touchent pas. Pas d'histoires avec les étrangers...

Ils arrivèrent quelques minutes plus tard à une place circulaire où se rejoignaient plusieurs avenues. Andrea Meyer s'engagea dans une petite voie non goudronnée coincée entre deux avenues, au bout de laquelle se dressait une grande maison de style colonial anglais. Le hall était immense, tout en boiseries, très haut de plafond. A droite, Malko aperçut une salle à manger avec seulement deux couverts...

– Mon mari est à Mandalay pour plusieurs jours et

je dois l'y rejoindre, expliqua Andrea. Quant à Jack Mankoff, il ne souhaite pas vous rencontrer, sauf raison impérieuse. Vous savez qu'il désapprouve votre présence ici. De plus, il est très surveillé par les Birmans. Ce n'est pas la peine d'attirer leur attention sur vous.

Encourageant.

— Quand recevrez-vous mon arme?

— Dans deux jours, je pense, mais vous n'en aurez sans doute pas besoin... Ici, sauf quand il y a des massacres, c'est un pays très pacifique.

Ils s'étaient installés face au bow-window devant une table basse, faite d'une magnifique panthère de bronze soutenant une dalle de verre, qui venait visiblement de chez Romeo. Andrea tendit à Malko un verre de Cointreau sur un lit de glaçons et se servit la même chose. Elle leva son verre.

— A votre séjour à Rangoon. J'ai reçu l'ordre de me mettre à votre disposition, mais j'ignore ce que vous êtes vraiment venu faire.

Toujours le cloisonnement... Malko était embarrassé. Andrea n'était pas habilitée à connaître sa mission et la CIA ne plaisantait pas sur ce genre de choses. Après tout, elle n'était que « stringer ». Prudemment, il se contenta de répondre :

— Je suis venu prendre des contacts avec les partisans de Aung San Suu-Kyi. Faire une évaluation.

Andrea Meyer faisait tourner les glaçons dans son Cointreau en humant son arôme. Elle fit la moue.

— C'est l'épine dans le pied du gouvernement militaire, dit-elle. Elle a gagné une popularité incroyable lors des derniers événements. Les contestataires avaient besoin d'un porte-drapeau. Ils l'ont trouvé. Depuis trois mois elle est bouclée, sans aucun contact avec l'extérieur. Afin qu'elle ne puisse pas se présenter aux élections. Mais les Japonais ont suspendu leur aide tant qu'elle ne sera pas libérée. Or, les Birmans ont désespérément besoin de leur argent... Ne serait-ce que pour acheter des munitions pour tirer sur la foule. Mais s'ils la relâchent, il est certain qu'elle gagnera les élections. Je ne voudrais pas être dans la peau du général Ne Win...

Elle décroisa les jambes et il aperçut l'ombre d'une cuisse fuselée et longue. Ce tête-à-tête impromptu ne lui déplaisait pas. Si tous les « stringers » de la CIA avaient ressemblé à cette ravissante jeune femme... Andrea eut un petit rire plein de sensualité.

– Cela me fait un drôle d'effet de me retrouver ici avec vous. Une légende de la *Company*... Vous avez vraiment des yeux dorés étonnants. Et comment va votre château?

– Pas trop mal, fit Malko en souriant, mais il me coûte des fortunes...

Elle se leva.

– Venez à table, nous ne disposons pas de beaucoup de temps.

La salle à manger était décorée de superbes tableaux italiens, la vaisselle raffinée, le vin parfait. Un maître d'hôtel indien leur servit silencieusement un délicieux curry. Luxe inattendu dans ce pays où on manquait de tout. Les chandelles faisaient briller les yeux d'Andrea qui lançait à Malko des œillades gourmandes. Ils dînèrent et retrouvèrent le canapé près du bow-window.

– Vous connaissez une certaine Chit-Kin? demanda-t-il.

Andrea Meyer lui jeta un coup d'œil amusé.

– Je vois que vous appréciez déjà le folklore birman! Qui ne connaît Chit-Kin à Rangoon? Tous nos collègues mâles ont eu affaire à elle.

– Ah oui?

– C'est la plus grande entremetteuse de la ville. Sa boutique d'antiquités n'est qu'un paravent. D'ailleurs, elle est très riche et n'a pas besoin de gagner sa vie. On dit qu'elle a des centaines de lingots d'or enterrés dans le jardin de sa villa... Si vous avez envie d'une ravissante Birmane presque vierge et docile ou d'une actrice, ou d'une bonne qui vous réveillera en vous faisant une gâterie, vous trouvez tout cela chez elle.

– Elle dirige un réseau de prostituées?

– Entre autres, plus un super-marché de produits introuvables. Les femmes ont pris l'habitude d'échanger leurs charmes contre ce qui manque. Et comme Chit-Kin fait aussi beaucoup de marché noir, elle leur fournit ce dont elles ont besoin, gagnant sur les deux tableaux.

– Je croyais que les Services surveillaient tout...

Andrea rit gaiement.

– Bien sûr, mais ils sont aussi corrompus que les autres. Chit-Kin mange à tous les râteliers... En plus, comme elle est plutôt lesbienne, au passage, elle essaie les filles qu'elle recommande à ses clients...

– C'est donc aussi une indicatrice?

– Bien sûr! Mais elle ne dit pas tout à ses employeurs. Qui vous l'a recommandée?

– George Kearod.

– Ah!

Il y avait beaucoup de choses dans ce « ah ». Andrea demeura silencieuse, faisant tourner machinalement les glaçons dans son verre de Cointreau. Intrigué, Malko demanda :

– Vous avez l'air réticente à son sujet. Pourtant, il travaille pour la Company depuis longtemps...

– C'est vrai, dit-elle. Il a fait souvent du bon travail et il parle birman, ce qui est vital. Nous l'avons tous vu, pendant les événements, aux côtés des étudiants. Je sais qu'il en a cachés chez lui. Mais parfois, il est un peu... léger. Et puis personne ne sait grand-chose de sa vie. Moi, je ne lui ferais pas totalement confiance.

Malko sentait un froid glacial s'insinuer le long de sa colonne vertébrale. Ce n'était pas possible que l'idée folle qui l'avait effleuré à Bangkok se matérialise. Maintenant qu'il était à Rangoon. Et que George Kearod connaissait tout de sa mission...

Il fallait coûte que coûte tirer les choses au clair.

– Dites-m'en plus.

Andrea Meyer alluma une cigarette.

– Ça me gêne, avoua-t-elle. Et ce ne sont que des rumeurs. Il y en a tellement ici, fausses à 90 %. Certaines personnes ont raconté que George Kearod avait été arrêté et détenu par la Military Intelligence pendant une vingtaine de jours, puis relâché...

Si c'était exact et que George Kearod l'ait caché à la CIA c'était gravissime.

– Ce n'est pas vérifiable? demanda-t-il anxieusement.

– Difficilement. Il effectue sans cesse des déplacements entre Rangoon et Bangkok. En plus, nous n'avons pas d'informateurs au sein des Services birmans. Même les Japonais n'y sont pas arrivés. Seuls les Thaïs en ont, mais ils racontent n'importe quoi.

Malko en avait froid dans le dos. Si les Birmans connaissaient sa mission, il était en danger de mort.

Andrea fixait Malko l'air intrigué.

– Je suis sûre que vous ne me dites pas tout, soupira-t-elle. On n'envoie pas un homme tel que vous pour une « évaluation ». George Kearod pourrait le faire sans problème.

Malko préféra ne pas répondre. Il lui fallait coûte que coûte réunir un maximum d'informations.

– Vous connaissez le général Thiha Latt?

– De nom. On ne le voit jamais, comme tous les dignitaires birmans. C'est le plus intelligent de la bande. Un Japonais qui le connaît m'a dit que ce serait sûrement le prochain chef de l'Etat. En tout cas, rien ne se fait en Birmanie sans son accord. Il coordonne les Services de renseignements qui quadrillent le pays et c'est lui qui a démantelé les réseaux de résistance qui commençaient à naître.

De mieux en mieux.

– Vous pensez que je suis surveillé?

Andrea eut une moue dubitative.

– Pas forcément. Vous, ils ne vous connaissent pas. Ils s'intéresseront à ce que vous faites si vous contactez des gens « sensibles ». Et là, ils ne vous lâcheront plus.

Mais, au pire, ils vous expulseront : ils ne veulent pas de problèmes avec les étrangers. Ils ont déjà assez de mal à gérer le cas Aung San Suu-Kyi.

– Pourquoi?

La jeune Allemande lui adressa un regard brûlant et amusé.

– Vous connaissez la pièce de Ionesco « Comment s'en débarrasser? » L'histoire d'un cadavre que l'on met dans un placard et qui grandit, grandit... Eh bien, c'est la même chose. Aung San Suu-Kyi est la bête noire de la Junte. C'est une personnalité charismatique, connue à l'étranger, capable de catalyser l'opposition. Fille du premier Président de la Birmanie, elle jouit d'un prestige considérable. Des milliers d'étudiants sont venus l'écouter.

« En la passant à la trappe, le gouvernement a cru la neutraliser. Vous pensez! Une assignation à résidence où elle n'a le droit de communiquer avec personne. Comme si elle était sur la Lune. Ils ont cherché à la salir sans trouver quoi que ce soit. A l'étranger, on s'est ému! Elle parle japonais, les Américains et les Européens l'apprécient. Donc, les pressions montent sur la Junte pour qu'ils la libèrent. Seulement, s'ils la remettent en liberté, ils perdent les élections.

Ce qu'avait dit Mike Roberts.

– Ils ne sont pas tentés de l'assassiner?

– Si bien sûr, mais cela ferait trop de bruit.

Malko buvait ses paroles. Tout cela confirmait la possibilité qu'il soit urgent pour le général Thiha Latt de tirer son épingle du jeu.

Andrea Meyer regarda sa montre et soupira.

– Il va falloir que je vous raccompagne, à cause du couvre-feu.

Malko se sentait vaguement déçu. Comme s'il avait espéré que la belle Allemande lui ferait l'hospitalité de son lit. Plusieurs fois au cours de la soirée son regard posé sur lui avait eu une expression trouble. Il la suivit jusqu'à la Mercedes. Le ciel était étoilé et il faisait presque frais. Comme elle dévalait une grande avenue, bordée d'un haut mur de brique, elle remarqua :

– Ici, en septembre 88, il y a eu des centaines d'étudiants hachés à la mitrailleuse. Je les ai vus.

Ils étaient seuls sur l'avenue. Une ville morte. Même dans le centre. Seuls quelques rares passants se hâtaient, se retournant au bruit de la voiture, la peur au ventre. Andrea tourna enfin dans Strand Road.

– Les gens sont terrifiés, dit-elle, le bouddhisme les a accoutumés à la non-violence. Or, à la tête de ce pays, il y a une bande de tueurs sans scrupules. Alors ils se dénoncent les uns les autres, pour se dédouaner. Aussi, faites attention à qui vous voyez.

Ils étaient arrivés devant le *Strand*. Andrea se tourna vers lui avec un sourire gourmand. Ils s'observèrent quelques secondes et brusquement, elle approcha son visage de celui de Malko et sa bouche s'écrasa sur la sienne. La jeune Allemande se détacha, essoufflée.

– Dès que j'ai votre arme, je vous appelle. Si vous avez besoin de moi, n'hésitez pas. Mon mari est à Mandalay pour toute la semaine.

Malko regarda la Mercedes s'éloigner, encore secoué par ce qu'il avait appris de George Kearod... Pour se rassurer, il finit par se dire que si l'Américain avait été retourné, c'était par celui avec qui il avait rendez-vous : le général Thiha Latt. On était en Asie et les choses étaient souvent tortueuses à souhait.

CHAPITRE VI

Le général Thiha Latt tirait distraitement sur son *cheroot* (1) tout en se balançant sur son vieux fauteuil pivotant dont les grincements couvraient parfois la voix imperceptible de son visiteur.

Un vieux bonze, assis sur un banc minuscule, en train d'égrener honteusement les noms de quelques opposants de la Junte. Un des innombrables mouchards du général qui le « traitait » directement par respect pour son âge.

Les hommes de la Special Branch avaient découvert qu'il s'adonnait régulièrement aux joies de la chair fraîche. Plutôt que de se retirer dans un monastère éloigné, il avait préféré rejoindre les rangs des informateurs de la NIB, persuadé d'être insoupçonnable. Ignorant, bien sûr, que toutes ses confessions étaient enregistrées.

Un voyant rouge s'alluma sur le bureau du général et celui-ci arrêta d'un geste son interlocuteur.

— Ce que tu m'as appris est très intéressant, fit-il, nous nous reverrons bientôt.

Le vieux bonze se releva vivement et, drapé dans sa robe safran, disparut par une porte donnant sur un ascenseur utilisé uniquement par certains visiteurs secrets.

(1) Cigare grossier fabriqué avec du tabac vert.

Le chef des Services birmans écrasa son cheroot dans un cendrier. Son organisation occupait tout le quatrième étage du ministère de la Défense, un énorme quadrilatère, en plein cœur de Rangoon, entre Zoological Garden's Street et Shwedagon Pagoda Road, cerné d'une haute clôture de barbelés doublée d'un mur de brique tout neuf percé de meurtrières tous les cinq mètres. Tout était prêt pour accueillir un soulèvement populaire. Quelques miradors équipés de mitrailleuses complétaient le dispositif. Le bureau de Thiha Latt donnait à la fois sur le Zoo et sur Simpson Road. Une grande pièce tapissée de boiseries claires avec des meubles fonctionnels et quelques photos au mur.

L'officier appuya sur le voyant rouge qui s'éteignit. Presque aussitôt, son aide de camp introduisit une femme élégante, très maquillée, arborant de superbes bijoux, aux ongles longs et rouges. L'étroitesse de ses épaules contrastait avec l'importance de sa poitrine, moulée par un *ingyi* (1) traditionnel.

Elle s'avança à petits pas dans l'immense pièce, les yeux modestement baissés. Thiha Latt fit aussitôt le tour de son bureau et la guida vers un canapé; sa main posée sur sa hanche gainée par le longyi mauve en caressa la courbe au passage. Comme son maître, Ne Win, qui avait été marié sept fois, il adorait les femmes. Or, May Sein était sûrement l'une des plus séduisantes qu'il ait rencontré.

– *Mingalo-ba,* dit-il aimablement.

– *Taminsa pibile,* répliqua l'actrice d'une voix minaudante.

– *Ma tchokai*(2), fit le général, les yeux luisant de convoitise.

A chacune de ses visites, il repensait à leur première rencontre. Elle n'était pas encore l'actrice la plus connue de Birmanie et il l'avait convoquée dans ce

(1) Blouse birmane très ajustée.
(2) Bienvenue. – Je ne vous dérange pas? (Littéralement : Avez-vous fini votre riz?) – Comme tu es « sucrée » (belle).

même bureau pour lui reprocher d'avoir apposé sa signature au bas d'un manifeste anti-gouvernemental. Il s'attendait à ce qu'elle le prenne de haut, mais elle s'était au contraire montrée si repentante qu'il en avait profité pour la violer gentiment, appuyée à son bureau, son longyi à ses pieds, sans qu'elle proteste vraiment. May Sein savait bien que, actrice ou pas, il pouvait d'un trait de plume l'envoyer faire du déminage chez les Karens.

Ils se contemplèrent en silence quelques instants. May Sein, devenue informatrice régulière du général, bénéficiait de certains avantages, tout en conservant l'aura due à son arrestation. Lui accueillait ses visites comme d'agréables récréations. Depuis qu'il voyait sa tête sur toutes les affiches des cinémas de Rangoon, en dépit de sa puissance à lui, elle l'intimidait un peu.

Un soldat entra, après avoir frappé, apportant du thé. Le général Thiha Latt attendit qu'il soit ressorti pour demander :

– As-tu de bonnes nouvelles?

May Sein redressa son buste, sachant l'effet qu'elle produisait sur le général.

– La personne que nous attendions est arrivée, annonça-t-elle.

Il eut un sourire poli et froid.

– Je le sais.

Rien de ce qui se passait en Birmanie ne lui échappait.

– Je l'ai rencontré, continua May Sein, et je dois le recontacter.

– Excellent! exulta Thiha Latt.

Dans sa joie, il versa dans les tasses un peu de thé aussi noir que du café. May Sein, selon la coutume birmane, en reversa un peu dans sa soucoupe, où elle le but. Il fit de même. Tout en réfléchissant. Quand ils eurent vidé leurs tasses de cette façon, ils les remplirent à nouveau de thé chinois beaucoup plus clair qu'ils burent d'un trait.

Le général, d'habitude impassible, ne dissimulait pas

sa satisfaction. L'opération complexe qu'il avait lancée plusieurs semaines plus tôt allait enfin porter ses fruits : le plus dur était fait.

– Comment est ce *Kala-pyu*? demanda-t-il.

May Sein se remit un peu de rouge à lèvres, avant de dire :

– Intelligent. Blond avec des yeux jaunes comme de l'or. Dangereux, je pense.

– Pourquoi plus qu'un autre?

– Il n'est pas américain, fit-elle simplement.

Thiha Latt sourit, appréciant la remarque. Xénophobe comme tous les Birmans, il détestait particulièrement les Anglo-Saxons.

– Voici ce que tu vas lui dire, commença-t-il.

Elle l'écouta attentivement puis, au moment de se lever, lança timidement :

– Je n'ai plus ni whisky ni cigarettes.

Le chef des Services alla à un placard et en sortit une bouteille de Johnny Walker Carte Noire ainsi qu'une cartouche de State Express 555. L'équivalent du salaire mensuel d'un haut fonctionnaire. Il les tendit à sa visiteuse en disant simplement :

– Continue à bien servir Tatmadaw.

Profitant de ce qu'elle avait les mains prises, il la serra brièvement contre lui par-derrière, se frottant un peu contre les fesses rondes. May Sein fit semblant de ne rien sentir. Le contact de la soie du longyi tendue sur la chair ferme était grisant.

Thiha Latt eut le courage de s'interrompre et May Sein gagna la porte. Laissant le général euphorique. S'il réussissait son coup, il serait le maître de la Birmanie.

*
**

Myunt Myunt était sagement installé au volant de l'antique Toyota en face du *Strand*. Comme l'unique tâche de Malko consistait à attendre le coup de fil de May Sein, il décida de tisser un peu sa couverture.

– Il y a un shopping-center, à Rangoon? demanda-t-il.

– Le Bogyoke Market, dit-elle. On y vend de tout.

– Parfait, dit Malko.

Ils filèrent le long de la Rangoon River, pour remonter ensuite vers le nord et reprendre Bogyoke Aung San Street, grande avenue est-ouest à la circulation clairsemée, à part les éternels bus verdâtres au museau camus, qui se traînaient à dix à l'heure.

Rangoon ressemblait un peu à Delhi, avec ses larges avenues ombragées de verdure, son absence de circulation automobile et ses maisons enfouies dans la végétation tropicale. Tous les styles s'y côtoyaient. Depuis les grands dinosaures majestueux de brique rouge, datant de l'occupation anglaise, jusqu'aux vieilles maisons chinoises à balcon, en passant par les constructions indiennes tarabiscotées. Peu d'immeubles modernes, mais des pagodes partout. Curieusement, cette ville bouddhiste comptait plusieurs églises avec d'énormes flèches, dépassant toutes les pagodes, sauf la Shwedagon.

Myunt Myunt le déposa en face d'un grand marché couvert, le Bogyoke.

L'avenue Bogyoke Aung San était bordée de barrières métalliques empêchant les piétons de traverser, les obligeant à emprunter d'immenses passerelles enjambant la chaussée. Alors qu'il n'y avait pratiquement pas de circulation...

– Pourquoi ces passerelles? demanda Malko à la jeune femme.

Elle eut un rire embarrassé.

– Oh, elles ne sont là que depuis un an. C'est pour permettre aux soldats, quand il y a des manifestations, de tirer plus facilement sur la foule. L'année dernière, ils se sont plaints à leurs officiers que ce n'était pas facile de tirer des toits.

Même Ceaucescu n'avait pas pensé à ça... Malko s'enfonça dans les travées du marché Bogyoke. Tous les objets usuels, des cotonnades et quelques bijoux de valeur douteuse aux prix de la place Vendôme. Des enfants le suivaient avec curiosité. Finalement, il acheta une carte de la ville et un sac « Shan » en lainage multicolore, le même que tous les Birmans accrochaient à leur épaule.

Myunt Myunt nettoyait le carburateur de la Toyota lorsqu'il revint.

Elle le remonta en hâte et l'avertit :

– Je dois acheter de l'essence, il n'y en a presque plus.

– Je voudrais voir l'endroit où réside Aung San Suu-Kyi, demanda Malko.

La bonne de George Kearod regarda autour d'elle d'un air effrayé, comme si le bitume avait des oreilles.

– Je vais vous emmener, dit-elle, mais je ne peux pas m'arrêter, ni même ralentir, sinon ils prennent le numéro de la voiture et viennent nous arrêter.

Ils repartirent vers le nord de la ville, longeant d'abord le jardin zoologique puis le Royal Lake. A leur gauche, la flèche d'or de la pagode Shwedagon trônait dans la verdure. Après le lac, la ville ressemblait à un immense parc semé de maisons misérables, des cahutes en bois à demi démolies où grouillait une population silencieuse et résignée. A un endroit, il n'y avait plus que des tas de planches empilées. Tout avait été démoli.

– Le gouvernement a chassé les squatters, expliqua Myunt Myunt. On les reloge très loin du centre, de l'autre côté de la Rangoon River, comme ça, en cas de manifestations, la ville sera plus facile à contrôler. En plus, on leur fait payer très cher le nouveau terrain. Sinon, ils n'ont plus d'existence administrative et on les envoie dans le Nord, là où il n'y a rien...

– Charmant régime...

Ils continuèrent à remonter Kokine Road, doublant des groupes de bonzes en robe safran, le crâne rasé, quêtant leur nourriture. Myunt Myunt s'arrêta soudain devant une femme installée à un petit étal où s'alignaient des bouteilles, à côté d'une caserne. Elle descendit et revint avec cinq bouteilles, dont elle enfourna le contenu dans le réservoir.

– C'est de l'essence, expliqua-t-elle. Il n'y en a plus

dans les stations-service. Seulement comme ça au marché noir, à 70 kyats le gallon.

La jeune Karen repartit et, plus loin, ralentit en arrivant à un grand carrefour pour tourner à gauche.

– Voilà University Avenue, annonça-t-elle. La maison de Aung San Suu-Kyi est sur la droite, là où il y a des sentinelles.

University Avenue longeait le lac Inya, au sud, bordée de propriétés adossées à l'eau dont les toits émergeaient de grands jardins tropicaux.

Malko vit soudain une guérite avec une sentinelle armée d'un G.3. Puis, une grille rouge avec des chevaux de frise, derrière laquelle on distinguait une allée. La maison était invisible, cachée dans la verdure. Dix mètres plus loin, une autre sentinelle.

Cinq en tout! Pour quarante mètres de façade. D'autres chevaux de frise, rangés sur le bas-côté d'University Avenue, permettaient d'interrompre la circulation à volonté. Ils étaient déjà passés. Malko se retourna, regardant une dernière fois l'endroit où se trouvait la femme, enjeu de sa mission. Myunt Myunt semblait mal à l'aise. Elle sursauta.

– Je crois qu'on nous suit.

Effectivement, une jeep militaire avait déboîté du bas-côté et roulait derrière eux. Malko sentit son estomac se contracter. Il avait été imprudent.

– Ils sont très nerveux, remarqua Myunt Myunt. Ils ont peur qu'elle ait un contact avec l'Ouest. Il y a deux semaines, les ambassadeurs en poste à Rangoon sont venus défiler devant la maison, en signe de soutien, klaxonnant à leur passage. L'ambassadeur d'Australie a voulu s'arrêter. Une des sentinelles s'est approchée et lui a appuyé le canon de son fusil d'assaut sur la tête en lui disant : « *Bona-li, Kala-pyu!* (1) » L'ambassadeur a embrayé tellement vite qu'il a calé.

Evidemment, avec de tels adversaires, le régime de Ne Win était parti pour la gloire. Un peu plus loin,

_____
(1) Fous le camp, étranger!

Myunt Myunt reprit à gauche Inya Road pour regagner le centre. La jeep continua tout droit... Contrôle de routine. L'emprise du gouvernement totalitaire se faisait sentir dans toute son horreur, la peur était presque palpable.

– Nous rentrons au *Strand*? proposa Myunt Myunt.

– Oui, dit Malko, mais avant je voudrais téléphoner.

Le numéro de You-Yi donné par Yé-Wé dansait dans sa tête. Maintenant qu'il avait une couverture pour l'aborder, grâce à Chit-Kin, il voulait essayer. Ne serait-ce que pour se débarrasser des soupçons à l'égard de George Kearod.

– On va s'arrêter à un tea-room, proposa la jeune Karen.

Cinq cents mètres plus loin, elle stoppa devant un morceau de trottoir sur lequel s'alignaient des tables et des bancs minuscules, qui semblaient conçus pour des lilliputiens en raison de la taille exiguë des Birmans. Ces « tea-rooms » apparaissaient tous les jours, en fin d'après-midi et ne désemplissaient pas jusqu'à la nuit, alimentés à partir d'un restaurant.

De ces « salons de thé » fréquentés par les étudiants réduits au chômage par la fermeture des universités partaient les rumeurs les plus folles. On disait que les parachutistes US allaient débarquer pour chasser les militaires... Myunt Myunt et Malko s'installèrent à une table, ce dernier les genoux sous le menton, et on leur apporta du thé noir comme du charbon. Un moment plus tard, la jeune Karen se leva et gagna le restaurant.

Elle revint glisser à l'oreille de Malko :

– Il y a un téléphone près de la caisse. J'ai prévenu le patron.

Malko debout près de la caisse composa le numéro de You-Yi. On décrocha et une voix de femme dit quelque chose en birman.

– *You-Yi? You are You-Yi?* demanda aussitôt Malko.

Un moment de silence, puis une voix timide et surprise annonça :

– *Yes. Who are you?*

– Un ami de Chit-Kin.

– Ah bon, mais comment avez-vous mon téléphone?

– Elle me l'a donné. Je vous ai vue hier soir chez elle. J'étais là quand vous êtes venue chercher des produits de beauté.

Silence, puis un rire embarrassé et frais.

– Ah, c'est vous le grand étranger blond!

– C'est moi.

Re-silence. Malko sauta sur l'occasion.

– Je voudrais vous rencontrer. J'ai apporté des produits de maquillage de Thaïlande.

– Ce n'est pas facile, je travaille beaucoup en ce moment, je tourne un film. J'étais passée parce qu'on travaillait dans la rue voisine. Et puis je ne vous connais pas.

– Nous avons un ami commun, dit Malko, je vous dirai son nom et vous serez très surprise. Et puis j'aimerais vous revoir, je vous ai trouvé très, très « sucrée ».

You-Yi eut un rire poli.

– Vous étiez avec une femme très belle, fit-elle. May Sein est notre actrice la plus connue. Vous ne trouvez pas qu'elle est superbe?

– Elle pourrait être votre mère, affirma Malko, avec la plus totale mauvaise foi. Acceptez-vous de prendre un thé avec moi?

Après d'interminables secondes de silence, You-Yi dit enfin :

– Mais où? Je ne peux pas venir à votre hôtel, c'est interdit.

– Je peux utiliser la maison d'un ami qui ne se trouve pas en Birmanie en ce moment. George Kearod.

– *Ulé* George! Vous êtes un de ses amis...

– Exact, confirma Malko. Je m'occupe de tourisme.

– Je peux venir ce soir, vers la tombée de la nuit, proposa You-Yi. Quand nous arrêtons le tournage. Mais je n'aurai pas beaucoup de temps...

– Alors, à tout à l'heure, dit Malko. Je vous donnerai tout ce que j'ai apporté de Bangkok.

Il raccrocha et regagna son banc minuscule pour déguster son thé aux amibes. En dépit des affirmations de George Kearod, il était resté un doute dans son esprit au sujet de la mystérieuse You-Yi. Il allait le dissiper.

*
**

Malko contemplait les Kalagas qui tapissaient les murs du living-room de George Kearod. Ces tapisseries birmanes fabriquées partout étaient très prisées des étrangers. L'une d'elles représentait un couple en train de faire l'amour sur une natte. Sûrement une commande spéciale de George Kearod. Myunt Myunt l'avait ramené directement dans la maison de l'Américain pour son rendez-vous avec You-Yi. Comme elle laissait la clef de contact sur la voiture garée dans le jardin et qu'il s'en étonnait, elle lui avait expliqué qu'en Birmanie on ne volait pas les voitures.

La maison de George Kearod se trouvait dans le quartier résidentiel de Golden Valley, petite et sans grand confort. Pratiquement pas de meubles, à part une télé et un magnétoscope Samsung, quelques tables basses et des coussins de soie posés à même le sol.

La fiancée de Yé-Wé allait-elle venir?

Il n'entendit pas arriver Myunt Myunt, toujours souriante, qui annonça :

– Une personne veut vous voir.

You-Yi pénétra dans la pièce. Moulée dans un boléro et un longyi qui détaillaient toutes ses courbes, la bouche maquillée mais les joues peinturlurées de poudre marron qui la faisait ressembler à une Indienne sur le sentier de la guerre... Devant le regard de Malko elle eut un rire embarrassé.

– Oh, je sais, vous les étrangers, vous n'aimez pas beaucoup le *tanakha*! Mais le maquillage coûte très cher ici, je n'en mets que pour le tournage.

Myunt Myunt apporta du thé et s'éclipsa. Dès qu'elle eut tourné les talons, Malko tendit à la jeune actrice un paquet plein de produits de maquillage.

– Voilà ce que je vous ai promis! Désormais, vous n'aurez plus besoin de tanakha...

Spontanément, You-Yi se pencha et l'embrassa sur la joue, pétillante de bonheur.

– Oh, merci.

En tout cas, elle devait déjà se débrouiller car ses yeux étaient ombrés de vert, sa bouche parfaitement dessinée, ses ongles faits et très longs. Un ravissant Tanagra oriental dont les seins pointaient orgueilleusement sous le boléro.

Malko resté sur sa faim la veille, après sa brève étreinte avec Andrea, se sentit des picotements agréables dans les reins.

Ils burent leur thé en silence. You-Yi s'était installée à côté de lui, sur des coussins au niveau du sol. Parfois, il surprenait un regard malicieux posé sur lui. Malko était partagé entre son désir d'éclaircir le mystère du message d'outre-tombe de Yé-Wé et le désir qu'il sentait monter en lui pour sa voisine. Celle-ci grignota quelques amandes et il réalisa tout à coup qu'elle avait le regard fixé sur le Kalaga érotique...

– Comment trouvez-vous cela? demanda-t-il.

Elle se troubla, lui jetant un regard à la fois gêné et ambigu. Malko posa une main sur la cuisse de You-Yi. Avec un sourire embarrassé, elle l'immobilisa, mais tourna la tête vers lui rapidement. Il se pencha vers son visage et, docilement, elle entrouvrit la bouche pour un baiser qui n'avait rien de fraternel...

Mais quand elle sentit les doigts de Malko en train de défaire le nœud de son longyi, elle les arrêta et dit gentiment :

– Non, je ne suis pas venue pour ça. Nous ne nous connaissons pas.

Pensant qu'il s'agissait de protestations de pure forme, Malko insista, la renversant sous lui. Ils luttèrent quelques instants, mais il réalisa que sa résistance n'était pas feinte. You-Yi se redressa, un peu décoiffée, les joues roses et le regard fuyant.

— Il faut que je m'en aille, dit-elle, esquissant le geste de se lever.

— Et votre maquillage!

Il lui tendait le paquet. You-Yi lui jeta un regard presque surpris puis dit avec un sourire un peu ironique :

— La grosse Chit-Kin vous avait dit que j'allais coucher avec vous... Et elle vous a demandé de l'argent pour mon numéro de téléphone! Elle fait souvent ça. Mais je ne suis pas ainsi. Je ne fais pas l'amour avec tout le monde.

Malko posa sur ses genoux le paquet préparé pour elle.

— Vous serez pas venue pour rien, dit-il en souriant. Il n'y a pas de contrepartie...

You-Yi ouvrit son colis de maquillage et l'inspecta, ravie. Puis, elle embrassa Malko tendrement sur la joue et gazouilla :

— Merci, vous êtes très gentil. A propos, vous m'aviez dit au téléphone que nous avions un ami commun?

Après sa tentative de séduction, Malko était un peu gêné de lui parler de Yé-Wé. Il dissimula son embarras avec un sourire. A l'asiatique.

— A Bangkok, j'ai rencontré votre fiancé.

You-Yi le fixa avec une surprise qui paraissait sincère.

— Mon fiancé? Mais je n'ai pas de fiancé...

Ce fut au tour de Malko de sentir une brutale poussée d'adrénaline envahir ses artères. Quelqu'un mentait. Ou Yé-Wé ou George Kearod... ou You-Yi. Il insista, afin d'éliminer tout malentendu.

— Vous n'avez pas un... ami, enfin un homme avec qui vous faites l'amour?

Elle secoua lentement la tête, le visage soudain empreint de tristesse.

– Non. Enfin si, j'en avais un. Il a été tué pendant les événements. Une rafale de mitrailleuse lourde et les soldats l'ont décapité pendant qu'il était encore vivant.

You-Yi égrenait l'horreur d'un ton calme.

– Vous ne connaissez pas un garçon qui s'appelle Yé-Wé? demanda Malko.

– Yé-Wé?

Cette fois You-Yi avait sursauté et son regard avait chaviré. Elle le glua à celui de Malko, les traits durcis, avec une sorte d'avidité.

– Vous avez rencontré Yé-Wé? Où?

– A Bangkok, c'est lui qui m'a donné votre téléphone.

– Pourquoi m'avez-vous menti?

– Je ne voulais pas prononcer son nom au téléphone.

Elle se pencha vers lui, les mots se bousculaient dans sa bouche.

– Où est-il? Que fait-il? Comment l'avez-vous connu?

– Par George Kearod, dit-il, répondant d'abord à sa dernière interrogation. Mais il lui est arrivé quelque chose.

– Quoi?

Elle avait presque crié.

– Il est mort.

Il lui raconta ce qui s'était passé sans parler de la CIA. Mentionnant simplement qu'il avait connu Yé-Wé par George Kearod. You-Yi l'écoutait, suspendue à ses lèvres. Quand il eut fini, elle demanda anxieusement.

– Mais qu'êtes-vous venu faire à Rangoon?

– Prendre des contacts avec la Résistance à la demande de Yé-Wé. Les amis de Aung San Suu-Kyi!

– La Résistance! s'exclama-t-elle. Mais qui Yé-Wé vous a-t-il dit de rencontrer?

Malko se sentait soudain au cœur d'un tragique

malentendu mais il ne pouvait pas continuer sans en savoir plus.

— You-Yi, si vous n'êtes pas la fiancée de Yé-Wé, qui êtes-vous? demanda-t-il. Il semblait d'un côté très désireux que je vous contacte et de l'autre il m'a envoyé vers quelqu'un d'autre.

— Qui?

Cette fois, elle avait crié, les yeux hors de la tête.

Comme Malko se taisait, elle répéta encore « qui? » plusieurs fois, puis après quelques instants de silence, fit à voix basse :

— May Sein, c'est elle, n'est-ce pas?

Malko ne répondit pas. Encouragée par son silence, elle continua, d'un ton incrédule :

— Et c'est Yé-Wé qui vous a envoyé à elle?

— Oui, finit-il par dire. Par l'intermédiaire de Chit-Kin.

Elle demeura de longues secondes muette, le regard ailleurs, puis se leva brusquement. Haletante, elle lança à Malko :

— Il ne faut plus jamais me téléphoner. Jamais. Quittez la Birmanie, vous êtes en danger de mort.

— You-Yi, dit Malko, qui êtes-vous? Quel est votre lien avec Yé-Wé?

Elle se dirigea vers la porte.

Malko lui barra la route.

— Répondez-moi! Sinon, vous ne sortirez pas d'ici.

Elle détourna la tête et pivota. Il la vit trop tard saisir un lourd Bouddah en ivoire sculpté. Avec une force inattendue, elle l'abattit violemment sur la tempe de Malko.

Sonné, il perdit l'équilibre et tomba, perdant connaissance quelques secondes. Aussitôt, You-Yi l'enjamba et s'enfuit. Il se releva, la tête bourdonnante, en proie à des vertiges et se précipita dans le jardin. Il arriva dans la rue juste à temps pour voir un rickshaw qui s'éloignait à toute vitesse, tournant déjà le coin. Il regagna le living-room, perturbé. Que signifiait la brutale panique de You-Yi? Et pourquoi était-il en danger?

CHAPITRE VII

U Tun sortit de la villa d'Aung San Suu-Kyi, poussant sa bicyclette à laquelle était accroché un grand panier. Le visage impassible, deux officiers du Military Intelligence Service montèrent dans une jeep sans numéro et lui emboîtèrent le pas quand il commença à descendre University Avenue. Ce vieux monsieur de quatre-vingt-deux ans représentait le seul accroc à la réclusion totale de la leader de la Ligue pour la Démocratie, son unique lien avec l'extérieur. Tous les matins, il venait s'enquérir de ses besoins et allait faire son marché, sous la garde vigilante des hommes de la Special Branch, veillant à ce qu'il n'entre en contact avec personne et surtout pas avec des étrangers. U Tun avait déjà été arrêté et détenu, mais, bien qu'il ait rejoint l'opposition, sa qualité d'ancien compagnon de lutte de Ne Win le rendait intouchable.

D'ailleurs à son âge, il ne représentait plus vraiment un danger... sinon par ses contacts avec Aung San Suu-Kyi...

Il mit une demi-heure à atteindre Bogyoke Market et gara son engin à l'entrée.

Ses deux anges gardiens sur les talons, il se mit à faire le tour des éventaires, économe de ses kyats, hélé par les marchandes qui le connaissaient toutes, et s'égosillaient à qui mieux mieux.

– *Ule,* viens voir mon riz, c'est le plus beau!

Il hésita longuement puis finit par choisir l'étal d'une

vieille ridée, au longyi crasseux, qui lui compta une livre
de riz à 20 kyats au lieu de 25. Leurs regards se
croisèrent et ils échangèrent un bref sourire. Encore des
bananes, un peu de poisson séché et quelques fruits,
puis il repartit, traînant sa charge. Aung San Suu-Kyi
mangeait peu, rongée par l'inaction et la rage. On lui
avait confisqué radio et télé et elle passait ses journées à
écrire ou à lire.

Quarante-cinq minutes plus tard, il était de retour à
University Avenue.

Il déposa ses paquets dans la cuisine et, dès que les
deux policiers furent ressortis, ouvrit le sac de riz. Dans
un étui de plastique, il y avait un papier plié. U Tun le
prit et se dirigea vers le living-room où la jeune femme
lisait, face au lac Inya.

— Tout est dans la cuisine, *Daw* Suu-Kyi, annonça-
t-il.

Elle se retourna et vit le papier dans sa main.
Laissant son livre, elle se leva, s'en empara et le glissa
dans la ceinture de son longyi. Tous deux se méfiaient
des micros dont la maison était truffée.

— A demain, dit-il.

— A demain, répondit-elle.

Il ressortit et reprit son vélo, pédalant sous le soleil.
Cette promenade quotidienne l'épuisait, mais il représentait le seul lien entre la recluse et l'opposition
organisée. S'il avait un infarctus, la jeune femme ne
pourrait plus communiquer... Lui aussi était sous
étroite surveillance et son téléphone écouté. Il prenait
grand soin de ne voir personne qui puisse déplaire au
MIS et avait ainsi refusé de rencontrer officiellement
plusieurs ambassadeurs.

Malko avait mal dormi, noué par l'angoisse. Sans
faire de commentaires, Myunt Myunt avait massé sa
bosse au Baume du Tigre et il ne lui restait de
l'agression de You-Yi qu'une vague migraine.

Quelque chose ne collait pas dans son histoire. Dès l'aube il était sorti du *Strand* et avait essayé d'appeler la jeune actrice d'une cabine téléphonique. Le numéro ne répondait pas. Remonté dans sa chambre, il tournait et retournait les implications de ce qu'il avait découvert la veille. Qui avait menti? Il était en train de ruminer ces pensées quand le téléphone sonna.

Ce n'était que Myunt Myunt.

– Je viens vous chercher, annonça-t-elle, comme vous me l'avez demandé.

Comme il n'avait rien demandé, il y avait donc autre chose.

Il la guetta en face du *Strand* et monta dans la Toyota dès qu'elle parut.

– *Daw* May Sein veut vous voir, annonça-t-elle. Elle vous attends.

Malko faillit redescendre de la Toyota. Tant qu'il n'aurait pas éclairci le mystère de Yé-Wé, toute action était dangereuse. Mais s'il rompait le contact brutalement, les conséquences pouvaient être graves.

En arrivant chez George Kearod, il vit une Datsun garée dans le jardin.

– Elle est là, dit Myunt Myunt.

May Sein attendait dans le salon, presque à la même place que You-Yi la veille, devant une tasse de thé. Elle adressa un sourire radieux à Malko. Son boléro décolleté montrait deux seins généreux et sa bouche peinte semblait prête à avaler un sexe. Contrairement à la plupart des Birmanes, elle portait des bijoux et son maquillage était parfait. Elle jeta un coup d'œil à une montre sertie de diamants.

– Je n'ai pas beaucoup de temps, s'excusa-t-elle.

– Vous avez des nouvelles?

– Oui. Il faut que vous alliez à l'*Inya Lake Hotel*, vers six heures. Comme tous les samedis il y a un mariage dans la salle de banquet, au fond du hall. Mêlez-vous aux invités et quelqu'un prendra contact avec vous.

– Qui?

– U Ba Tan, un professeur. C'est lui qui organisera l'étape suivante.

Malko tiqua.

– Pourquoi tant de précautions? Je croyais que le général était tout-puissant...

L'actrice eut un sourire entendu.

– Il l'est, mais il est impératif que ses subordonnés ignorent qu'il a un contact avec vous.

Son regard soutenait le sien, neutre.

– Pourquoi prenez-vous des risques? demanda-t-il. Puisque c'est si dangereux.

May Sein lui jeta un regard de commisération.

– Parce que la vie actuelle est devenue impossible! Nous dépendons d'obscurs bureaucrates pour tout. Tout passe par les militaires. Il faut changer...

– Mais Thiha Latt *est* un militaire?

– Oui, mais il a été élevé en Angleterre. Il s'est beaucoup intéressé au cinéma. Grâce à lui, je n'ai jamais eu d'ennuis, en dépit de mon opposition au régime.

– Vous avez donc confiance en lui? Malgré ses fonctions.

May Sein sourit tristement.

– Ici, on ne peut avoir confiance en personne. Il faut se méfier de tout ce que l'on dit. Je pourrais demain être arrêtée et torturée, même si je suis l'actrice la plus connue du pays et personne ne bougerait. Aung San Suu-Kyi est différente, elle veut la démocratie.

Elle se leva.

– Il faut que je retourne travailler.

– Où puis-je vous joindre? demanda Malko.

– Je préfère vous contacter moi-même, répliqua-t-elle. Mon téléphone est écouté. Dans deux ou trois jours, mon tournage sera terminé, je serai plus tranquille. Vous viendrez dîner chez moi, avec des amis acteurs. Ce n'est pas loin d'ici.

Elle se dirigeait vers la porte quand son regard tomba sur le maquillage destiné à You-Yi.

– Tiens, fit-elle avec un sourire, vous avez apporté des cadeaux?

– J'en ai apporté pour des amis, dit Malko. Si vous en voulez...

– Avec plaisir.

Elle se pencha et prit plusieurs bâtons de rouge à lèvres, qu'elle glissa dans son sac. Il la raccompagna jusqu'à la Datsun et rentra aussitôt. Coûte que coûte, il lui fallait un contact avec la CIA. Il y avait trop de mystère dans cette affaire.

La seule personne à pouvoir le lui ménager était Andrea Meyer. Il l'appela à l'ambassade américaine. A peine l'eut-il en ligne qu'elle lui annonça :

– Vos médicaments sont arrivés. Voulez-vous que nous déjeunions ensemble?

– Avec joie, dit Malko. Par la même occasion, j'aimerais remercier celui qui me les a apportés.

– Je ne sais pas si cela sera possible, fit Andrea Meyer après une certaine hésitation. Je vais voir.

Malko raccrocha. En tout cas, le message était passé.

La Mercedes 190 stoppa devant le *Strand* et Malko y prit place aussitôt. Andrea Meyer semblait soucieuse.

– Que se passe-t-il? demanda-t-elle. Pourquoi voulez-vous voir Jack Mankoff?

– Il est arrivé quelque chose de bizarre hier soir, dit-il. Je dois absolument entrer en contact avec Bangkok.

– J'ai compris, fit la jeune femme. Nous essayerons de le voir. Je l'ai prévenu. Sa maison est à côté de la mienne. Nous allons officiellement chez moi et nous emprunterons ensuite un chemin invisible de la route pour nous y rendre. Seulement, nous n'avons pas le temps de déjeuner.

Un quart d'heure plus tard, ils étaient chez elle.

Andrea gravit le perron, suivie de Malko, et annonça avec un sourire.

– Nous sommes seuls, j'ai donné congé au personnel.

– Cela ne va pas leur paraître suspect?

Andrea lui adressa un sourire carnassier.

– Non, il m'arrive de recevoir des amis lorsque mon mari est absent. Ils savent pourquoi et ça les amuse.

Devant l'étonnement de Malko, elle précisa :

– Mon mari est homosexuel; en ce moment, il se fait une orgie de petits garçons à Mandalay...

– Mais pourquoi l'avoir épousé? demanda Malko. Vous ne...

Andrea, tout en se servant du Cointreau, répondit d'une voix un peu trop légère pour être sincère.

– C'est une erreur de ma part. Il était très beau et j'étais folle amoureuse de lui. Quelque temps après notre mariage, je l'ai surpris un jour en train de s'agiter sur un ravissant petit boy. Cela m'a tellement dégoûtée que je n'ai plus jamais voulu faire l'amour avec lui. Alors je me recycle ailleurs. Lorsque je rencontre un homme qui m'attire...

Malko retrouvait l'expression avide qu'elle avait lors de leur première rencontre. D'un mouvement souple, elle s'appuya contre lui, et il sentit son pubis se presser impérieusement au sien. Son regard chavira et elle murmura :

– Ce que j'ai envie de faire l'amour!

Malko la sentait trembler contre lui. A regret, elle se détacha, but son Cointreau d'un coup et reposa son verre.

– Venez, dit-elle, nous n'avons pas beaucoup de temps. D'abord, récupérez votre bien.

Elle lui tendit son pistolet extra-plat qu'il glissa aussitôt dans sa ceinture.

– Venez, dit Andrea.

Elle le précéda dans un escalier menant au sous-sol, de plain-pied avec un jardin en friche, ombragé de buissons énormes. Un sentier s'enfonçait dans la verdure, où ils s'engagèrent. Invisibles même de sa maison.

Dans cette partie de Rangoon, les maisons jouxtaient des terrains vagues ou des parcelles de jungle. Ils parcoururent une centaine de mètres, aboutissant devant un mur percé d'une porte. Andrea avait la clé. Elle la tourna dans la serrure en remarquant d'un ton léger :

– Dommage que Jack soit marié, ce serait bien pratique...

Le jardin du chef de station de la CIA était tout autant en friche, clos par un haut mur de pierre. Des projecteurs fixés à la façade de la grosse villa carrée devaient inonder de lumière le jardin, dès la nuit tombée. Le chef de poste de la CIA était prudent.

Malko et Andrea Meyer parvinrent à une porte de derrière qui s'ouvrait sur un petit hall désert. Andrea désigna l'escalier, sans un mot et Malko lui emboîta le pas. La maison semblait inhabitée. Au second étage, elle poussa une porte, pénétrant dans une pièce aux volets clos, éclairée par une lueur rougeâtre. Un homme de petite taille, très fringant, avec une moustache en crocs et un visage fin les accueillit :

– Je suis Jack Mankoff, dit-il à Malko. Ici nous pouvons parler. Cette pièce a été « dératisée » par les soins de la TD(1) et il n'y a pas de micros.

En plus, d'épaisses plaques de liège recouvraient les murs et le plafond, empêchant les sons de se propager. A part un bureau, il n'y avait qu'un énorme coffre-fort, une armoire métallique, une table basse et quelques sièges.

Jack Mankoff invita ses visiteurs à s'asseoir et en fit autant. Une pile de sandwichs s'entassait sur la table, à côté d'une bouteille de Johnny Walker et de plusieurs Coca-Cola.

– C'est tout ce que je peux vous offrir, dit le chef de station de la CIA avec un sourire d'excuse. Mon cuisinier pense que je déjeune ici tout seul. Si j'avais commandé plusieurs repas, ça l'aurait intrigué et il l'aurait dit à ses employeurs...

Il y avait une nuance de reproche dans sa voix.

– Merci de cette rencontre, dit Malko. J'ai...

L'Américain le coupa pour lancer d'une voix bougonne :

– J'espère que ce vieux fou de Mike ne vous a pas mis dans une merde trop profonde. J'étais contre votre venue à

(1) Technical Division.

Rangoon. Trop risqué. Et les Birmans sont tordus. Mais Mike est têtu comme une bourrique et il est tombé amoureux de Jeanne d'Arc...

Au moins, Malko était prévenu. Mourant de faim, il prit un sandwich au jambon de Virginie et dit :

— J'ai rencontré un cas non conforme hier et je voulais en avertir Bangkok.

Il résuma pour Jack Mankoff le problème de You-Yi. L'Américain tiraillait sa moustache, visiblement ennuyé. Lorsque Malko eut terminé il soupira.

— Vous n'avez pas de chance. Dès qu'Andrea m'a dit que vous vouliez me voir, j'ai contacté Bangkok. Mike a été contraint de se rendre à Chiang Mai pour quatre jours. Il doit être chez les Karens. Je sais seulement que la police thaï n'a rien trouvé de plus sur le meurtre de Yé-Wé. Quant à cette You-Yi, je n'en ai jamais entendu parler, ce qui n'est pas significatif : je ne m'occupe pas beaucoup du problème. Il y a quelqu'un qui pourrait vous éclairer sur la personnalité de You-Yi. C'est le bonze qui s'appelle Red Eagle mais il est dans la clandestinité et je n'ai aucun moyen de le joindre.

Pour Malko, le problème était simple. Il fallait savoir si George Kearod avait été retourné pour une raison X par les Birmans. Mais dans ce cas, Yé-Wé était également complice... et toute l'affaire devenait brûlante.

Jack Mankoff le contemplait en se goinfrant de fromage. Il eut un hochement de tête amical.

— Si j'étais vous, fit-il, je reprendrais le premier avion pour Bangkok... Tout cette histoire est « fishy(1) »...

— La filière d'approche du général Thiha Latt vous paraît-elle normale? demanda Malko.

Jack Mankoff termina son sandwich, avala une bonne rasade de Johnny Walker avant de laisser tomber.

— *Yeah.* May Sein est sa maîtresse. La vieille Chit-Kin mange à tous les râteliers et ce U Ba Tan est une sorte d'interface entre la colonie étrangère et le régime. Sa femme et lui servent à transmettre les messages. En tout

_____
(1) Pourrie.

cas quelqu'un a menti. Yé-Wé, George Kearod ou You-Yi. Ou les trois. Et ça, c'est grave. Et dangereux pour vous. Pourtant, j'ai entendu parler de ce Yé-Wé, il paraît clair, il a payé de sa personne durant les événements. Quant à George, c'est un des « assets » favoris de Mike. Enfin, vous savez bien que dans notre métier on n'est jamais sûr de rien.

« C'est ce qui en fait le charme, conclut-il avec un sourire ironique en s'essuyant la bouche.

Il se leva.

— Il vaut mieux que vous ne restiez pas trop longtemps, dit-il. Je suis une des cibles favorites du Military Intelligence Service. Venez voir.

Il l'amena à la fenêtre. Une petite ouverture avait été percée dans le volet. Malko aperçut l'entrée principale de la villa, une route et, juste en face, une sorte de cabane édifiée sur le bas-côté où un homme était allongé.

— Ils me surveillent de là jour et nuit, expliqua le chef de station de la CIA.

Il se retourna et alla soulever une housse grise, découvrant une batterie d'appareils de transmission ultra-modernes.

— Je dois envoyer un compte rendu de notre rencontre à Bangkok, dit-il. Qu'est-ce que je leur dis? Vous rentrez ou vous restez?

— Je reste, dit Malko.

Jack Mankoff le fixa longuement.

— Je dois quand même vous avertir qu'en cas de problème, il ne faudra pas compter sur moi pour une exfiltration, dit-il. J'ai une mission ici qui ne doit pas être perturbée.

— Je vous remercie de me prévenir, fit Malko, en lui tendant la main.

Il quitta la villa avec Andrea et derrière eux, ils entendirent claquer les verrous de protection. Une fois dans son propre jardin, Andrea Meyer lança à Malko :

— Jack n'est pas un salaud, mais il déteste Mike. Et il pense que vous vous êtes fourré dans un guêpier. Il ne veut pas de problèmes, son séjour se termine dans trois mois. En fait, je crois qu'il a raison, vous devriez partir.

– Je vais voir, fit Malko évasivement.

La villa d'Andrea Meyer était toujours aussi silencieuse. La jeune femme regarda sa montre, visiblement contrariée.

– Je dois retourner à l'ambassade, soupira-t-elle. Mais nous pouvons dîner ensemble, ici. De toute façon, il n'y a pratiquement pas de restaurants en ville.

– Avec plaisir, dit Malko, dès que j'aurais terminé mon rendez-vous.

Elle ne lui demanda pas avec qui, se serra contre lui, murmurant à son oreille :

– Ce soir, je vous ferai regretter de ne pas m'avoir rencontrée plus tôt. Vous verrez la différence avec toutes ces Orientales qui ne savent pas faire l'amour.

Il sourit poliment. Pour l'instant, la volcanique Andrea n'était pas au premier rang de ses préoccupations. Comme en Colombie, il devinait un coup pourri et tenait à s'en sortir.

Que lui réservait son rendez-vous à l'*Inya Lake Hotel*? Il avait beau se creuser la tête, il ne voyait pas pourquoi les Birmans se donneraient tant de mal pour piéger un modeste chef de mission de la CIA. C'est la raison pour laquelle il ne décrochait pas. A moins qu'il n'y ait autre chose, mais quoi?

CHAPITRE VIII

L'*Inya Lake Hotel* symbolisait toute la grâce des constructions staliniennes des années 30. Cadeau de l'Union Soviétique à la République socialiste birmane avant que celle-ci ne répudie l'idéologie marxiste... Construit au bord du lac Inya, l'hôtel ressemblait à un énorme paquebot de béton grisâtre échoué au milieu de la jungle. Malko pénétra dans un hall démesuré et solennel. Les boutiques de souvenirs sur la droite n'avaient pas un client, pas plus que le bar. L'hôtel paraissait vide, abandonné. Malko aperçut en face de lui un large couloir menant à une enfilade de salons. Là, il y avait de la vie. Une foule animée et bruyante se pressait à l'entrée d'une grande salle.

La nuit était tombée en un quart d'heure, pendant qu'il traversait la ville, inconfortablement assis sur la banquette en bois d'une Mazda transformée en taxi collectif.

Il regarda autour de lui. Quelques Birmans en longyi bayaient aux corneilles – sûrement des indics – et un homme en costume européen lisait le *Daily Mirror*. Des couples, tous birmans, ne cessaient de pénétrer dans l'hôtel, fonçant vers la salle où se tenait le banquet de mariage. Les femmes, toutes très maquillées, élégantes dans des longyis de soie, les hommes avec les mêmes, mais à carreaux. Visiblement des profiteurs du régime, d'après la quantité de bijoux et les ventres rebondis.

Malko se mêla aux invités, suivi par des regards intrigués. Il se remarquait comme une mouche dans une tasse de lait. Il allait atteindre le buffet lorsqu'un Birman fendit la foule dans sa direction. Arrivé en face de Malko, il lui prit les deux mains et se mit à les secouer doucement en les massant presque. Les yeux globuleux exprimaient une félicité sans rapport avec la situation.

– Je suis U Ba Tan, annonça-t-il d'une voix précieuse. Quelle joie de vous voir ici!

Malko le détailla. Il était presque maquillé comme une femme, avec des bajoues poudrées et de grosses lèvres toutes rouges. Il ne lui manquait qu'une jupe entravée...

Son élégant gilet brodé était en harmonie avec son longyi à carreaux bleus. Il consentit enfin à lâcher les mains de Malko et s'extasia encore.

– Cher ami, May Sein nous avait promis que vous viendriez. Mais je n'osais pas y croire...

Son anglais était parfait et il zézéyait légèrement.

– Merci de votre accueil, dit Malko.

– Venez boire et manger, conseilla son nouvel ami.

Au buffet, il lui tendit une assiette pleine d'œufs de caille servis avec une sauce très piquante et un jus de mangue. Les Birmans autour d'eux dévoraient Malko du regard, papotant dans leur langue. U Ba Tan se pencha à l'oreille de Malko.

– Dès que ma femme sera là, nous irons chez moi. Nous serons mieux qu'ici. Il y a longtemps que vous êtes en Birmanie?

– Quelques jours.

– Je crois que vous vous occupez de tourisme, continua le Birman. La Birmanie est un si beau pays, mais nous manquons un peu d'équipement. Cet hôtel est le meilleur de la ville... Voulez-vous que je vous le fasse visiter?

Sans attendre la réponse de Malko, il l'entraîna vers le hall. U Ba Tan n'arrêtait pas de pérorer. Ils firent le tour du bâtiment, débouchant sur la piscine éclairée et déserte, donnant sur le bord du lac.

U Ba Tan prit Malko par le bras et lui souffla à l'oreille :

– Ici, on ne risque pas de nous écouter! Je sais pourquoi

vous êtes là. Ma femme a organisé le rendez-vous avec qui vous savez pour après le dîner, chez moi. Elle est actuellement à un cocktail donné par l'ambassade du Japon mais elle va bientôt nous rejoindre...

Malko sentit quand même son cœur battre plus vite. Il n'avait pas pensé que le processus allait s'accélérer autant... Il revint à la charge sur un point qui continuait à l'intriguer.

– Etant donné la personnalité de celui que je dois rencontrer, remarqua-t-il, pourquoi toutes ces précautions ?

U Ba Tan regarda de nouveau autour de lui avec un air de conspirateur.

– Lui-même est surveillé, dit-il. Par ses propres subordonnés. Le général Ne Win se méfie de tout le monde. S'il savait que notre ami rencontre en secret des étrangers et ce qui se passe, il le ferait fusiller.

La lune se reflétait sur le lac Inya, l'ambiance était celle d'une aquarelle chinoise, on ne se serait vraiment pas cru en plein complot. U Ba Tan enchaîna, tout en serrant Malko très fort au-dessus du coude.

– Ma femme et moi recevons pas mal d'étrangers, aussi votre présence chez nous n'éveillera pas l'attention.

Ils reprirent le chemin de l'hôtel. La température était maintenant presque fraîche. Malko était partagé entre plusieurs sentiments. L'excitation de rencontrer un des maîtres de la Birmanie et surtout, l'anxiété due aux incidents inquiétants qui émaillaient le début de sa mission : l'assassinat de Yé-Wé et le mystère de You-Yi. Cependant, il avait beau se creuser la tête, il n'arrivait pas à deviner les motivations des Birmans, si on lui tendait un piège.

Devant lui, U Ba Tan avançait d'un pas dansant comme une ballerine. Faux comploteur, mais vrai pédé... Il adressa un coup d'œil énamouré au boy de l'entrée et se retourna soudain vers Malko, extatique, comme s'il annonçait le retour du Messie sur terre.

– *Daw* Sandy, ma femme, est revenue !

Sandy Nwé portait sur le front une banderole invisible

qui disait « baise-moi ». Malko avait rarement vu autant
de lubricité dans les yeux d'une femme. De petite taille, une
bouche trop grosse pour un visage osseux poussé en avant
par une mâchoire prognathe, des yeux brillants, d'un noir
de jais. Ses cheveux étaient tirés en chignon, ce qui
accentuait la découpe de sa tête aux temporaux saillants
qui la faisaient ressembler à une tête de mort.

Elle marcha sur Malko d'un pas décidé, ses grosses
lèvres s'écartèrent sur des dents irrégulières pour un sourire
carnassier, et elle tendit à Malko une main aux doigts
effilés, longs et raffinés.

– Bienvenue à Rangoon! dit-elle d'une voix rauque de
fumeuse. Je suis heureuse de vous connaître.

Sa poignée de main était aussi forte que celle d'un
homme. Impossible de lui donner un âge. Entre trente et
cinquante. Sa modeste poitrine déformait à peine son ingyi
traditionnel. L'habituel longyi, bien collé aux hanches,
laissait deviner un corps mince et musclé. Les escarpins de
quinze centimètres étaient la seule contribution occidentale
à sa toilette, avec le parfum... Elle prit familièrement le
bras de Malko et l'entraîna vers la sortie.

– Il est presque sept heures, dit-elle. Dépêchons-nous.

Une Toyota flambant neuve émergea du parking,
conduite par un chauffeur. U Ba Tan monta à l'avant,
laissant sa femme et Malko à l'arrière.

– Votre première visite en Birmanie? demanda Sandy
Nwé en glissant une cigarette dans un long fume-cigaret-
tes.

– Oui, dit Malko.

– Vous aimez?

– C'est charmant, un peu hors du temps.

Sandy Nwé eut un rire rauque.

– Parce que nous sommes pauvres. Mais Rangoon est
plus calme que Bangkok, il n'y a pas de pollution.

Malko vit qu'ils venaient de tourner dans University
Avenue, passant devant la résidence de Aung San Suu-Kyi.
Coïncidence. S'apercevant qu'il regardait le paysage,
Sandy Nwé précisa.

– Nous n'allons pas loin. Dans Windermere Road, près

de Golden Valley. C'est agréable, il y a beaucoup de verdure et nous avons comme voisin un homme charmant, l'ambassadeur du Japon.

Effectivement, un kilomètre plus loin, la Toyota tourna à gauche et ils s'enfoncèrent dans une sorte d'énorme parc semé de villas plus ou moins luxueuses. Celle devant laquelle ils s'arrêtèrent ne l'était pas outre mesure. Une petite bâtisse blanche dans un minuscule jardin. A côté, Malko aperçut le cercle rouge d'un drapeau japonais. Un serviteur était déjà en train d'ouvrir la grille, appelé par un bref coup de klaxon.

Ils descendirent tous les trois, pénétrant dans une pièce tout en longueur. A droite, sur une grande étagère, s'alignaient une bonne douzaine de statues de différents génies, avec quelques offrandes devant. Sandy Nwé eut de nouveau son rire rauque.

— Mon mari est très bouddhiste, lança-t-elle. Il pense que tous ces génies nous protègent.

Ils gagnèrent une salle à manger banale où le couvert était mis. En face de la table, une télé Akai ouverte. C'était l'heure des informations. Comme tous les soirs, des militaires souriants remettaient des cadeaux à des populations de provinces lointaines sur fond de danses folkloriques. Cette propagande massive et maladroite était théoriquement destinée à rallier le peuple à Tatmadaw, la sacro-sainte armée qui l'avait si joyeusement massacré quelques mois plus tôt...

Malko, qui s'attendait à trouver le général Thiha Latt, fut déçu de ne voir que trois couverts.

— Nous vous avons préparé un plat typique birman, annonça Sandy Nwé, du *mohingha*. J'espère que vous aimerez.

A peine étaient-ils à table qu'une étrange créature fit son apparition, portant un plat fumant. Une fillette qui semblait n'avoir qu'une douzaine d'années, vêtue traditionnellement, pieds nus. C'est son visage qui donna un choc à Malko. C'était celui d'une hétaïre! Les yeux étaient maquillés en mauve, allongés avec des paillettes argentées sur les paupières, deux ronds ocre de tanakha ornaient les joues et l'énorme bouche trop rouge ressemblait à un phare. Elle posa le plat sur la table, sans un mot, sans un sourire, et Malko, quand elle repartit vers la cuisine, vit que ses cheveux noirs tombaient jusqu'à ses reins.

San Nwé lui adressa un sourire amusé.

– C'est Wendy, ma petite nièce, elle adore se maquiller, elle veut être vedette de cinéma comme May Sein.

La nièce réapparut avec un plat de *nems*. Elle le déposa en face de Malko, lui décochant un regard lourd de femme, qui le mit presque mal à l'aise. Elle le fixait avec une expression glauque, malsaine, dans ses yeux trop maquillés. Ensuite, lentement, elle passa les mains sur sa jeune poitrine puis sur son ventre avant de tourner les talons.

Il goûta au mohingha. Cela ressemblait à un curry mélangé à de la soupe de poisson où auraient flotté quelques bananes... Heureusement qu'il y avait du riz frit, des nems et des crevettes grillées.

Wendy, la nièce, revint pour apporter des fruits. Des letchis, des mangues, des bananes. La conversation roulait sur des banalités. A peine son dernier letchi dans le bec, U Ba Tan se leva avec un sourire poli.

– Je vais devoir vous laisser, fit-il, je suis un peu fatigué.

Malko eut à peine le temps de lui serrer la main. Il savait qu'il était courant pour les Birmans de quitter la table à peine le repas terminé. Sandy Nwé découvrit ses dents inégales pour dire :

– Mon mari n'aime pas se coucher tard. Même sans le couvre-feu, il a toujours été au lit très tôt.

Il était à peine huit heures...

A son tour, elle se leva.

– Venez prendre le thé.

Elle précéda Malko dans une petite pièce dont le sol disparaissait sous de gros coussins de soie formant un amoncellement confortable. Dans un coin, Malko découvrit une télévision Akaï et son magnétoscope. Sandy Nwé se laissa tomber près d'une table basse où se trouvait déjà un plateau de thé, noir comme de l'encre de Chine. Une vague odeur d'encens flottait dans la pièce et le silence était absolu.

– Quand vient celui que je dois rencontrer? demanda Malko.

Sandy Nwé regarda sa montre.

– Pas avant deux heures. Nous avons le temps.

Malko se dit qu'Andrea allait être folle de rage...

– Mais le couvre-feu?

Ses lèvres épaisses s'écartèrent en un sourire amusé.

– Pour lui, il n'y a pas de couvre-feu.

Elle ouvrit un tiroir de la table basse et en sortit un long tuyau marron : une pipe à opium. Puis tout le nécessaire, les aiguilles, la lampe et les petits cubes noirâtres. Après avoir allumé la lampe, elle prit une boulette d'opium et commença à la griller sur la flamme, avec des gestes de fumeuse expérimentée. De nouveau, son sourire découvrit ses grandes dents.

– C'est le meilleur moment de la journée, soupira-t-elle. Cet opium m'est livré directement du pays Shan. De plus en plus difficile à trouver : ils transforment tout en héroïne.

Elle aspira vivement, les lèvres collées à la pipe, puis rejeta voluptueusement la fumée. Recommençant trois fois de suite. Soudain, Malko eut l'impression d'une présence dans la pièce. Il tourna la tête et découvrit la nièce dans l'entrée. Son pouls s'accéléra brutalement. Elle n'avait plus que ses cheveux noirs pour couvrir sa nudité! Nu, son corps était beaucoup moins enfantin que ne le laissait supposer le longyi. Comme une somnambule, elle s'avança vers les coussins où se trouvaient Malko et Sandy Nwé et s'agenouilla avec grâce en face de lui, ses yeux d'un noir liquide fixés sur son entrejambe. L'odeur fade de l'opium ajoutait à l'étrangeté de la scène. Pendant quelques instants, on n'entendit que les grésillements de la pipe, puis Sandy Nwé lança de sa voix rauque :

– Ma nièce est encore trop jeune pour fumer l'opium, mais elle aime bien me tenir compagnie.

Malko ne répondit pas. Que signifiait cette mise en scène? Sandy Nwé voulait-elle endormir la méfiance de

Malko ou y avait-il une combine tordue bien orientale? Tout à coup, l'écran de l'Akaï s'éclaira. Sandy avait manœuvré la télécommande.

Sur l'écran apparurent deux personnages, un homme et une femme en costume folklorique, évoluant gracieusement sur une musique aigrelette.

La petite fille n'avait pas bougé... Malko regardait la danse d'un œil distrait. Soudain, les mouvements changèrent. L'homme mimait le viol. Il s'avançait vers sa partenaire par sauts. Un sexe d'une longueur incroyable jaillit de son habit de lumière, légèrement recourbé comme un cimeterre. La danseuse recula, feignant la frayeur et Sandy Nwé se pencha à l'oreille de Malko dans un souffle chaud.

– Je n'en ai jamais vu une aussi grosse! souffla-t-elle.

Sur l'écran, la danseuse était maintenant acculée à une table. L'homme la rejoignit; d'un geste brutal, il lui écarta les cuisses, la bascula sur la table et, d'un seul coup, plongea en elle son sexe recourbé jusqu'à la garde. La danseuse se renversa en arrière, la tête sur le côté, son visage tourné vers les spectateurs arborant une expression ravie. Le danseur, simulant la fureur, lui releva les jambes et se mit à la marteler, sautant sur place comme un cabri. Malko était si absorbé par la scène qu'il sursauta en sentant des mains l'effleurer.

Wendy s'était approchée en rampant sur le ventre, le dos creusé. Sournoisement elle essayait de libérer sa virilité avec l'intention évidente de lui faire l'offrande de sa bouche peinte. Sous l'œil attendri de Sandy Nwé.

– Vous aimez le film? demanda la Birmane, comme s'il ne se passait rien dans la salle. Avec quelques figurantes, nous avons eu l'idée de revigorer un peu notre vieux folklore. Hélas, c'est totalement clandestin.

Le voyant en train de repousser la fillette, elle continua de sa voix rauque :

– Laissez-la faire, elle adore cela! C'est son jouet. Et ne craignez rien, elle n'est pas vierge. Depuis longtemps. D'ailleurs, elle a déjà quinze ans.

Sur l'écran, la scène avait changé : un satyre poursuivait une femme, tournoyait et finalement la rattrapait, l'agenouillant devant lui et lui arrachait son masque. Il tomba au moment où le sexe pénétrait sa croupe. Malko reconnu May Sein. Le sexe qui la transperçait ressortit et revint lentement, plus haut, perforant l'ouverture de ses reins. Celui qui le possédait était drapé dans une grande cape dorée et on ne voyait pas son visage.

Wendy, aplatie comme une chatte en face de Malko, ses yeux d'un noir liquide fixés dans les siens, quêtait silencieusement ce qu'elle était venue chercher. Repoussée fermement par Malko. Ce dernier se tourna vers l'organisatrice de cette étrange soirée.

— Dites-lui de me laisser, demanda-t-il.

Un éclair de fureur passa brièvement dans les yeux de Sandy Nwé.

— Imbécile, lança-t-elle, vous ne savez pas ce que vous perdez. Elle fait ça mieux que la meilleure des putains.

Son bras se détendit comme un ressort, elle attrapa sa nièce par les cheveux, l'arrachant d'où elle se trouvait et attirant son visage contre son ventre.

Malko réalisa alors qu'elle avait défait son longyi. Il aperçut les colonnes cuivrées des cuisses et le triangle noir où, docilement, la petite esclave enfouit sa grosse bouche. Sandy Nwé se laissa aller en arrière sur les coussins, les jambes ouvertes comme une parturiente, les prunelles révulsées. Râlant de plaisir. Sa main tâtonna au milieu des coussins et elle en sortit un olisbos d'ivoire sculpté délicatement dans une défense d'éléphant.

Comme on poignarde quelqu'un, elle l'abattit sur la croupe ronde de sa nièce, pratiquement sans hésiter, l'enfonçant dans ses reins!

La fillette eut un sursaut de tout son corps, mais Sandy Nwé se mit à faire aller et venir l'olisbos dans l'ouverture cachée, à coups redoublés. Wendy gigotait comme un papillon épinglé sans arracher pourtant sa

bouche du sexe qu'elle honorait. Sandy Nwé tourna
vers Malko un regard fou.

– A vous! Prenez-la, déchirez-la. Je veux l'entendre
crier.

Ses gestes s'exaspéraient. Malko ne bougea pas.
Brutalement, Sandy Nwé poussa un feulement puissant
et demeura immobile, tétanisée, la bouche entrouverte.
La fillette releva la tête, le regard brouillé, puis rampa
dans l'ombre et disparut, laissant sa « tante » foudroyée
de plaisir.

– Je l'ai achetée dans un village, elle mourait de faim,
expliqua d'une voix calme Sandy Nwé. Ses parents qui
aidaient les Karens avaient été massacrés par les soldats. Elle avait été violée un nombre incalculable de
fois. C'est ce qui lui a sauvé la vie. Depuis, dès qu'elle
voit un homme, elle s'offre.

– C'est ignoble, dit Malko.

Sandy Nwé haussa les épaules.

– C'est la vie. Elle sera une très bonne épouse et
rendra son mari heureux. Rien ne la rebute. Cela vaut
mieux que de se faire couper la tête comme sa mère.

Son cynisme était glaçant. Le film continuait avec ses
danses folkloriques mais Malko ne s'y intéressait plus.
Il regarda sa montre : dix heures moins cinq. Il ne
comprenait toujours pas le pourquoi de cette mise en
scène.

Une femme apparut soudain à la porte et vint se
pencher à l'oreille de Sandy Nwé.

– Le général Thiha Latt vous attend, annonça la
Birmane à Malko.

CHAPITRE IX

Malko monta l'escalier jusqu'au premier et sa guide le fit entrer dans un bureau meublé uniquement de quelques chaises et d'une table. Un homme était installé derrière la table, vêtu d'une tenue militaire kaki, sans galon, en train de fumer un gros *cheroot*. Grâce à la photo que lui avait montré Mike Roberts, Malko reconnut sans aucune difficulté le chef des Services de Renseignements birmans, le général Thiha Latt. Son visage lisse et ses cheveux drus le faisaient paraître moins que ses cinquante-quatre ans.

C'était quand même un grand moment !

L'officier birman lui adressa un sourire neutre, lui fit signe de s'asseoir et dit en excellent anglais, sur un ton très mondain :

— Je vous remercie d'avoir bien voulu effectuer le voyage de Bangkok pour me rencontrer à Rangoon, car il m'est impossible de quitter mon poste en ce moment.

Il avait même une pointe d'accent oxfordien ! Malko avait du mal à croire qu'il avait en face de lui un des hommes les plus puissants du pays, en train de comploter contre ses supérieurs et amis... La *realpolitik* avait ses petits secrets. Dans le monde parallèle de la guerre de l'ombre, rien n'était impossible. Simplement, un complot pouvait en cacher un autre...

— Je pense que le voyage en valait la peine, fit

Malko, si ce que la personne que j'ai rencontrée à Bangkok dit est exact.

Les yeux du général Latt se plissèrent malicieusement. Tout à coup, il ressembla un peu à un jovial bouddah chinois. Bien que les lèvres minces et la froideur qui se dégageait de lui évoquent plutôt un cobra.

– Que vous a-t-on dit?

C'était la minute de vérité. Qui les faisait tous deux basculer dans le danger.

– Que vous étiez décidé à vous désolidariser de la Junte militaire en aidant Aung San Suu-Kyi.

Le silence qui suivit pesait du plomb. Le général écrasa son cheroot, qui avait déjà eu le temps d'empester la pièce, dans un cendrier, et corrigea d'une voix douce :

– La situation dans mon pays est très complexe. Il est certain que des gens que je respecte infiniment, comme U Ne Win, n'ont pas suivi l'évolution du monde. Ils sont très âgés et ne comprennent pas toujours les aspirations de la jeunesse.

Malko coupa son envolée lyrique.

– Les élections vont avoir lieu au mois de mai. Etes-vous disposé à ce que Aung San Suu-Kyi puisse se présenter?

Nouveau sourire. Le chef des Services de Renseignements birmans fixait Malko comme un chat une souris.

– Nous sommes d'accord, dit-il.

– Parfait, dit Malko, un peu détendu.

Le général enchaîna aussitôt :

– Il paraît que les Etats-Unis verraient d'un bon œil l'élection possible de cette personne et un rôle politique majeur pour son parti, la Ligue pour la Démocratie.

– Je suis autorisé à vous dire que c'est tout à fait exact, confirma Malko, assez excité par cette diplomatie parallèle. Seulement, il faudrait pour cela qu'elle ait la possibilité de s'inscrire sur les listes électorales et de se présenter. Ce qui n'est pas le cas.

– Cela pourrait le devenir, avança le général Thiha Latt. Je suis prêt à prendre le risque d'affronter certains membres de Tatmadaw pour libérer *Daw* Aung San Suu-Kyi.

– Et si le général Ne Win ou ses fidèles réagissent violemment ?

L'officier supérieur birman eut une moue sceptique.

– C'est un homme âgé qui s'intéresse maintenant plus à l'astrologie qu'au pouvoir, affirma-t-il. Seulement, avant de me lancer dans cette opération, j'ai besoin de m'entourer de garanties, n'est-ce pas...

– Lesquelles ?

Il eut un sourire suave et froid.

– Nous mettons le doigt dans un engrenage dangereux. La Birmanie risque de verser dans le chaos. Tatmadaw sera alors la seule force réelle. Il faut que je sois certain de rester à la tête des Services de Renseignements et de jouer un rôle important, après les élections.

Autrement dit, il voulait le contrôle de l'armée birmane. Lui donner des assurances sur ce point dépassait le rôle de Malko qui décida de gagner du temps.

– Je ne suis pas à même aujourd'hui de répondre à cette question, reconnut-il. Il faudrait d'abord que nous soyons sûr de votre alliance avec Aung San Suu-Kyi.

Le général sembla soulagé par cette demande.

– Comment ?

– J'exige de la rencontrer, dit Malko. En votre présence.

Le général Thiha Latt demeura silencieux quelques instants avant de laisser tomber.

– C'est risqué pour moi, mais j'accepte. Ainsi, vous aurez les éléments pour revenir par la suite avec un accord définitif.

– C'est une éventualité, dit Malko, sans se compromettre. Il y a un autre point à aborder. Certains officiers ne sont pas acceptables par la Ligue pour la Démocratie, en raison de leur attitude durant les événe-

ments. En particulier, le général Sein Lwin qui a décidé
la répression féroce de l'été 88.

Thiha Latt ne broncha pas.

– Tous ceux qui ont dérogé aux règles d'honneur de
Tatmadaw seront jugés, dit-il sans se troubler. Et s'ils
sont reconnus coupables, ils seront sévèrement condam-
nés.

On croyait déjà entendre le cliquetis du peloton
d'exécution. Le général birman était absolument sans
état d'âme. Il avait dû suivre des cours de stalinisme
accélérés.

Malko commençait à se détendre. Finalement son
aventure birmane n'était pas un piège. L'homme qui se
trouvait devant lui, en chair et en os, était bien le
responsable suprême des Services Secrets. Et, comme
tel, un des généraux les plus puissants du pays. Il en
profita pour écarter un ultime doute.

– Général, demanda-t-il, pourquoi avez-vous employé une méthode aussi compliquée et tortueuse pour
que j'arrive jusqu'à vous? Etant donné vos fonctions,
vous êtes à l'abri de bien des choses.

Thiha Latt se renversa en arrière avec un sourire
ironique et un peu grinçant.

– La ligne que je me prépare à suivre est à l'opposé
de celle déterminée par U Ne Win. Certains de mes
subordonnés lui sont entièrement dévoués et n'hésite-
raient pas à m'éliminer s'ils apprenaient ce qui se
passe.

On ne pouvait être plus précis. L'officier supérieur
birman offrait bien aux Américains un retournement en
bonne et due forme. Quelque chose que des esprits
délicats auraient peut-être appelé une trahison. Il restait
une inconnue, et de taille. Thiha Latt avait-il le pouvoir
de provoquer le basculement de l'armée? Apparemment, les Américains semblaient le croire. Malko décida
d'avancer un pion.

– Quelles garanties demandez-vous personnelle-
ment?

La réponse arriva du tac au tac.

– Une entrevue avec l'ambassadeur des Etats-Unis à Rangoon qui me confirmera ce que vous me dites. L'assurance que le gouvernement provisoire que je dirigerai sera reconnu par les Etats-Unis, et que l'aide financière sera rétablie jusqu'aux élections où *Daw* Aung San Suu-Kyi se présentera.

– Et le Parti Tasagna(1)?

– Il présentera également des candidats, ce sera une élection démocratique, n'est-ce pas? répliqua l'officier birman, sans sourire.

Le silence s'établit quelques instants, rompu par Malko.

– Si la principale intéressée donne son feu vert, je pense que nous pourrons procéder ainsi.

Le général Thiha Latt se leva.

– Parfait! Je vais organiser une entrevue avec *Daw* Suu-Kyi.

– Où?

– Dans sa résidence, bien sûr. Ce serait trop difficile ailleurs. Cela va demander au moins quarante-huit heures. Je dois m'assurer que tous ceux qui seront là sont des gens sûrs. C'est très simple, une jeep viendra vous prendre à l'hôtel *Strand* et vous emmènera là-bas.

– Comment connaîtrai-je le jour?

– A partir d'après-demain, soyez tous les soirs à votre hôtel vers six heures. Le jour dit, Sandy Nwé vous téléphonera pour vous inviter à un cocktail. Le lendemain soir une jeep viendra vous chercher à l'hôtel. Je vous retrouverai chez *Daw* Suu-Kyi. Si vous êtes satisfait de votre entretien, vous n'aurez plus qu'à repartir pour Bangkok faire votre rapport. Le reste sera beaucoup plus facile.

– C'est d'accord, parfait, conclut Malko.

Les deux hommes se serrèrent longuement la main, puis le général Thiha Latt sortit le premier, refermant la porte derrière lui. Quelques instants plus tard, Sandy

(1) Soutenu par l'armée.

Nwé fit son apparition, le visage gourmand, le mufle en avant.

– Je vais vous ramener, proposa-t-elle. A moins que vous ne préfériez dormir ici?

– Non, merci, dit Malko.

Il avait besoin de réfléchir. Tout se passait presque trop bien.

Cette fois, Sandy Nwé prit le volant elle-même. Les rues étaient totalement désertes et elle roulait à toute vitesse, pleins phares.

– C'est le couvre-feu, remarqua Malko, vous n'avez pas peur que les soldats vous tirent dessus?

La Birmane eut un sourire méprisant.

– Ils connaissent ma voiture. J'ai un laissez-passer.

C'était vraiment le premier cercle du pouvoir... Dix minutes plus tard, ils dévalaient Strand Road. Avant de le quitter, Sandy Nwé se pencha vers lui.

– J'espère que nous nous reverrons.

Elle eut un rire de gorge, rauque à souhait, avant que Malko ne sorte de la voiture. Le *Strand* était déjà fermé, et il dut tambouriner à la porte. Plus tard, allongé sur son lit, dans le silence absolu de la nuit, il essaya de recoller les morceaux du puzzle. Il avait vraiment le contact avec le chef des Services Spéciaux birmans.

Conclusion : soit le général Thiha Latt disait la vérité, soit il y avait autre chose qu'il ne devinait pas. Il regarda les trois messages qu'il avait trouvés en rentrant. Andrea Meyer n'avait pas apprécié d'être larguée.

Le soleil qui brillait sur Rangoon semblait avoir dissipé tous les fantômes de la nuit précédente. Le téléphone arracha Malko à sa douche glacée. La voix d'Andrea Meyer ne le réchauffa pas.

– J'ai dîné toute seule, annonça-t-elle coupante. Me ferez-vous l'honneur de déjeuner avec moi?

– Avec plaisir, accepta Malko.

– Alors, venez me prendre à l'ambassade, ce n'est pas loin de votre hôtel. Vers une heure.

Il acheva sa toilette rustique et descendit. Pour tuer le temps, il partit à pied vers Merchant Street, parallèle à Strand Road, passant devant le siège du BSI. Le quartier chinois commençait tout de suite après. Il avait envie d'aller revoir Chit-Kin pour avoir des nouvelles de You-Yi et négocia avec un taxi collectif, le guidant par gestes. La rue de l'antiquaire sentait toujours autant le poisson séché et une puanteur identique régnait dans l'escalier de bois. La même Chinoise diaphane ouvrit la porte. Chit-Kin gisait sur son lit à baldaquin comme un monstre marin échoué. Elle entrouvrit un œil, reconnut Malko et éclata de son rire énorme.

– *Ah! Lalli wallo, lalli wallo!*

Elle répéta les deux mots une bonne vingtaine de fois, se tordant de rire. Malko la laissa se calmer et demanda :

– Je voudrais revoir votre amie You-Yi.

Les traits gélatineux se figèrent imperceptiblement, et la Chinoise fit comme si elle n'avait pas entendu, proposant un coffre de mariage en laque orange. Malko insista, parlant très lentement et détachant bien ses mots.

– *Your friend, You-Yi! The young actress, very beautiful...*

Cette fois, Chit-Kin hocha la tête, désolée.

– Elle est partie en province faire du théâtre, pour deux semaines, annonça-t-elle. Mais je connais d'autres actrices, très belles.

Il battit en retraite, retrouvant presque avec plaisir l'odeur de poisson séché. C'est dans Merchant Street qu'il fut abordé par un gamin déguenillé qui lui tendit une carte. Malko y lut : *Miss Kyi Kyi, Palm Reading-Astrologist*. Il ne manquait plus qu'une diseuse de bonne aventure... En plus, il avait juste le temps de revenir vers l'ambassade US. Il repoussa le gamin, mais ce dernier s'accrocha, brandissant toujours sa carte. Excédé, Malko lui tendit un billet de 5 kyats, une fortune.

Le gamin refusa le billet, continuant à lui mettre sa carte sous le nez.

Quelque chose fit « tilt » dans la tête de Malko. A Rangoon, il n'y avait pas de mendiants. Depuis long-temps le gouvernement militaire les avait exilés dans le nord du pays ou simplement massacrés. Seuls les bon-zes étaient autorisés à demander leur nourriture ou de l'argent. Ce gosse était un anachronisme. Leurs regards se croisèrent et Malko lut dans celui de l'enfant une telle anxiété qu'il lui fit signe qu'il acceptait de le suivre. Aussitôt, l'autre partit si vite, se faufilant sur le trottoir encombré d'éventaires, qu'il eut presque du mal à le suivre. Trois rues plus loin, il se lança dans l'escalier incroyablement raide d'une maison chinoise à deux étages.

Malko le grimpa à la suite du gamin. Débouchant dans un petit salon d'attente avec des fauteuils défon-cés, vides. Un rideau le séparait d'une autre pièce. Le gosse le souleva, révélant un bureau exigu aux murs couverts de chartes astrologiques. Une femme avec des lunettes était assise derrière une table. Elle adressa quelques mots au gosse et fit signe à Malko de s'as-seoir, lui prit la main droite et la posa sur un énorme tampon encreur, puis sur une feuille de papier où s'inscrivirent les lignes de la main de Malko. Elle fit ensuite de même avec la main gauche puis le guida jusqu'à un balcon où se trouvait une sorte de fontaine, une cuvette et un minuscule morceau de savon...

Même avec l'aide du gosse, Malko n'arriva pas à se débarrasser de toute la couche noire et grasse. Il en restait partout, incrustée dans la paume de sa main. Il revint s'asseoir en face de la chiromancienne, passable-ment agacé. Celle-ci se mit à examiner ses paumes avec soin, tout en babillant en birman, notant des tas de choses sur un papier. Il se tortillait, mal assis et furieux. Même à Rangoon, les touristes se faisaient arnaquer ! Il

avait pris un banal racoleur de diseuse de bonne
aventure pour un rendez-vous secret.

En plus, la Birmane faisait traîner les choses. Il
commençait à s'impatienter vraiment quand le gosse
réapparut et chuchota quelque chose à l'oreille de la
chiromancienne.

Celle-ci fit alors signe à Malko que la consultation
était terminée, acheva de rédiger ses « conclusions » et
lui tendit la feuille pliée soigneusement.

– *How much?* demanda Malko.

La Birmane écrivit le chiffre 100.

Au cours officiel, 15 dollars. Pour ce prix-là, l'avenir
devait être rose. Il paya et dégringola l'escalier raide.
Impossible de trouver un taxi... Il arriva à l'ambassade
américaine un peu en retard.

Andrea Meyer l'attendait dans le hall, vêtue d'une
robe en stretch rouge, absolument superbe, mais froide
comme un iceberg.

– Nous allons déjeuner au *Ruby's*, un restaurant
chinois, annonça-t-elle. C'est tout près.

Ils y allèrent à pied, c'était à quatre blocs, pas loin du
Strand, dans la rue longeant le Post office. Le *Ruby's*
était une infâme gargote, avec ses nappes déchirées et
ses murs lépreux. Tout était d'une saleté repoussante,
même le patron, un vieux Chinois rescapé du Kuomin-
tang, qui avait abandonné le trafic d'opium pour la
restauration... Andrea Meyer entreprit de commander
en birman. Malko ne comprenait que la réponse du
garçon :

– *Mechibou* (1).

Découragée, elle se rabattit sur du riz frit et des
pinces de crabes.

– Les vaches sont tuberculeuses, dit l'Allemande, le
porc a une maladie et on ne trouve pas de moutons.
Que vous est-il arrivé hier? demanda-t-elle.

– Mon rendez-vous s'est prolongé plus que prévu, dit
Malko. Et il m'était impossible de vous prévenir...

_____

(1) Il n'y en a pas.

– Vous êtes resté avec Sandy Nwé?

– Oui, en partie, commença Malko.

Andrea Meyer ne le laissa pas terminer, disant d'une voix pincée :

– Dans ce cas, je comprends que vous ayez été *retenu*.

– Pourquoi?

Les yeux gris de la jeune Allemande jetaient des éclairs.

– Vous ignorez qui est Sandy Nwé? Les Birmans *normaux* n'ont pas le droit d'avoir des contacts avec les étrangers. Sauf certains, sponsorisés par les Services. Dont ce couple. Lui est homosexuel, elle, tout ce qu'on veut. Il paraît qu'elle fait même l'amour avec des serpents! Ils sont chargés de « tamponner » les diplomates, hommes, femmes et pédés, pour faire passer les messages de la Junte. Moyennant quoi, ils ont tout ce qu'ils veulent, des voyages, de l'argent, des magnétoscopes, une voiture, de l'essence pas chère. Je connais au moins quatre ambassadeurs qui ont succombé au charme de Sandy. Bien entendu, elle filme tous leurs ébats et ensuite les fait chanter.

Devant l'expression de Malko, elle lui adressa un sourire ironique.

– Je vois que vous avez eu droit au traitement d'un ambassadeur... Avez-vous goûté une de ses nièces? demanda-t-elle ironiquement.

– Non, mais...

– Dommage, dit-elle. Ce sont de petites putes très jeunes, généralement louées à leurs parents pour vingt ou trente kyats la soirée. C'est Chit-Kin qui les lui procure. Ensuite, quand elles grandissent, elle les revend aux bordels chinois ou thaïs de Bangkok.

Le vernis craquait sérieusement. Malko se dit que le général Thiha Latt avait de drôles d'amis. Devant son mutisme, Andrea n'insista pas, se contentant de demander :

– Vous étiez avec Sandy Nwé pour être encore en retard?

– Non, non, assura Malko. Je suis allé voir une chiromancienne. Regardez mes mains, j'ai l'air d'un charbonnier.

– En effet, fit Andrea, un peu radoucie. Et que vous a-t-elle dit?

– Si vous lisez le birman, fit-il, vous allez me traduire.

Il sortit de sa poche le papier qu'il n'avait même pas regardé et le lui tendit. Andrea y jeta un coup d'œil et il la vit changer d'expression.

– Vous l'avez lu?

– Non, pourquoi?

– Lisez.

Malko le prit. A la fin du texte birman, il y avait deux lignes en anglais, d'une autre main, écrites en capitales :

SOMEONE WILL COME TO SEE YOU AT MR. GEORGE'S PLACE. 5 PM. VERY IMPORTANT. DO NOT TALK TO ANY-BODY. (1)

Les deux derniers mots étaient soulignés trois fois.

(1) Quelqu'un viendra vous voir chez Mr. George à 17 h. Très important. N'en parlez à personne.

CHAPITRE X

Malko remit le papier dans sa poche. C'était la première fausse note dans sa promenade en apparence idyllique en Birmanie. Il avait fallu toute une organisation clandestine pour lui faire parvenir ce message. Des précautions extraordinaires.

– Qui peut m'envoyer ce mot? demanda-t-il à voix basse à Andrea Meyer.

– Quelqu'un de l'opposition, fit la jeune femme. Mais puisque vous êtes branché dessus, je ne comprends pas.

– Il n'y a pas plusieurs groupes?

– Il y a un groupe de bonzes engagés politiquement aux côtés des étudiants contestataires sous la direction du vieux chef de pagode qui s'appelle Red Eagle. Ceux-là n'ont aucun contact avec les étrangers. Ils se contentent de fournir une aide logistique aux étudiants traqués par les militaires et les Services secrets. Il ne peut s'agir que de la Ligue démocratique d'Aung San Suu-Kyi. Ou de votre mystérieuse You-Yi.

– J'ai cherché à retrouver sa trace par Chit-Kin. Il paraît qu'elle est partie en province, pour une tournée théâtrale.

– C'est possible, admit Andrea, les Birmans adorent le théâtre.

Malko ne répondit pas. Dans son for intérieur quelque chose lui disait que cet étrange message était lié à la

fuite inopinée de You-Yi. Andrea Meyer interrompit le
cours de ses pensées en remarquant :

— Dans quelques heures vous serez fixé. Si vous
voulez, je vais vous déposer chez George. Le fait qu'on
y fasse allusion prouve que l'on vous connaît bien.

Ils terminèrent leur repas par un thé infâme où
flottaient des bouts de lait caillé. Malko en avait la
nausée. Après avoir laissé une poignée de kyats, ils
marchèrent jusqu'à Merchant Street pour récupérer la
Mercedes d'Andrea. Un quart d'heure plus tard, ils
arrivaient à la maison de George Kearod.

— Il faut que je retourne à l'ambassade, soupira
Andrea Meyer.

Sa robe de stretch relevée très haut sur ses cuisses,
elle observait Malko de ses yeux gris pleins d'ironie, à
demi tournée vers lui.

— La Birmanie est un pays complexe, dit-elle soudain. Un des plus fermés à la culture occidentale. Ici,
nous sommes dans l'Asie profonde avec ses pièges à
plusieurs ressorts, trop complexes pour nous. C'est un
théâtre d'ombres difficile à déchiffrer... Alors, faites
attention.

Malko regarda les cuisses fuselées et le regard toujours avide de la jeune Allemande. Il l'attira vers lui.

— Je vous dois des excuses pour hier soir.

Le sourire de la jeune femme se fit encore plus
carnassier.

— Mais, ce soir, si vous ne me posez pas de lapin,
nous pouvons dîner ensemble.

Il l'aurait violée sur place. Elle le défiait avec un
sourire amusé et tira le stretch sur sa poitrine pour
mieux faire ressortir ses seins.

— A ce soir, dit Malko.

Cinq heures moins cinq. Malko avait tourné comme
un lion en cage depuis le départ d'Andrea. Il ne put
s'empêcher de sortir dans le jardin pour regarder

dehors. Il ignorait avec qui il avait rendez-vous. Un homme, une femme, plusieurs personnes ?

Une voiture passa, puis un taxi Mazda. Au moment où il allait rentrer dans la maison, il vit surgir de la courbe de Golden Valley Road un homme à bicyclette. Visiblement âgé, il pédalait doucement, un sac accroché à son guidon. Un visage ridé, un longyi bleu à carreaux, un crâne presque chauve. Derrière lui apparut un rickshaw, le conducteur debout sur ses pédales, un passager dans le side-car. Rangoon était sûrement la dernière ville d'Asie où c'était un spectacle courant...

Malko tourna la tête et fit quelques pas avant d'entendre un cri.

Il revint à la barrière séparant le jardin de la route et s'immobilisa, glacé d'horreur. Le rickshaw avait rattrapé le vieillard. Son passager, debout dans son side-car, le frappait à coups redoublés avec une sorte de tuyau qu'il serrait dans son poing. Le vieux cycliste, du sang coulant sur son visage, zigzaguait, essayant d'échapper à son agresseur.

La scène se passait à trente mètres de Malko. Celui-ci se précipita pour arracher les fils de fer barbelés qui fermaient le portail et secourir le vieil homme.

Dès qu'il l'aperçut, l'agresseur bondit soudain de son engin, attrapa le vieillard par l'épaule et le jeta violemment par terre ! Aussitôt, il se remit à le frapper avec une sauvagerie inouïe, uniquement sur la tête. Visiblement pour le tuer. Le bruit mat du métal rebondissant sur les os était affreux.

Malko était venu à bout du cadenas improvisé et jaillissait dans Golden Valley Road. Le tueur abattit une dernière fois son arme sur la tempe du vieillard qui ne bougeait déjà plus et sauta en voltige sur le rickshaw qui avait fait demi-tour. Malko se lança à sa poursuite, mais dut très vite renoncer : l'autre avançait diaboliquement vite. De plus, en passant près du corps étendu, il lui avait semblé entendre un gémissement. Il revint sur ses pas et s'agenouilla près du vieillard. L'arme du crime, un gros tuyau de plomb, tordu par le choc, était resté là. Une mare de sang s'élargissait autour de la tête du vieil homme. Le crâne défoncé en plusieurs endroits, le temporal gauche enfoncé, le nez brisé, la bouche éclatée, il avait cessé de vivre...

Malko se redressa. le rickshaw avait disparu silencieusement dans les allées ombragées de ce quartier résidentiel. Il regarda autour de lui. Personne! Un taxi arriva, freina près du corps et stoppa. Le conducteur secoua la tête après avoir regardé le mort et repartit à toute vitesse, comme s'il avait le diable à ses trousses...

Enfin, des gens sortirent d'une maison voisine. Deux femmes qui couvrirent le visage du mort, puis un bonze qui se mit en prières, à genoux au milieu de la chaussée. Profondément choqué, Malko regagna la villa de George Kearod. Il était cinq heures dix.

Le vieillard assassiné était bien celui avec qui il avait rendez-vous. Pourquoi l'avait-on tué? Et surtout, qui?

*
**

Malko n'était pas encore remis de l'assassinat brutal du vieillard avec qui il avait rendez-vous quand il monta les marches du perron d'Andrea Meyer. Son pistolet extra-plat pesait d'un poids rassurant à sa ceinture. La jeune femme lui ouvrit, resplendissante dans une robe de lainage noir hyper-moulante.

— Que se passe-t-il? demanda-t-elle en voyant son expression.

Malko eut juste le temps de lui raconter ce qui s'était passé avant d'être interrompu par la sonnerie du téléphone.

Andrea alla répondre. Lorsqu'elle revint, ses traits étaient graves.

— L'ambassade a reçu un coup de fil anonyme. L'homme qui a été assassiné devant chez George était le secrétaire personnel de *Daw* Suu-Kyi, annonça-t-elle. U Tun, un vieux monsieur de quatre-vingt-deux ans qui était le seul à la voir encore tous les jours. Il faisait ses courses en ville.

– Il y a-t-il une chance que ce soit un crime crapuleux?

– Non. D'abord, les Birmans sont très pacifiques, il n'y a jamais eu un seul hold-up dans toute l'histoire de la Birmanie. Les rares malfaiteurs sont des voleurs ou des pickpockets. Et ici, on respecte trop les vieux pour les tuer de cette façon. Nous sommes dans un pays bouddhiste.

« En plus, U Tun était très connu à Rangoon et on savait bien qu'il n'était pas riche.

– C'est le travail de tueurs professionnels qui se savent sûrs de l'impunité, conclut Malko. Des hommes des Services. Sinon, ils n'auraient pas agi en plein jour au risque de se faire prendre.

Un morceau du puzzle venait de se mettre en place. Aung San Suu-Kyi avait envoyé U Tun afin de mettre Malko en garde contre quelque chose ou quelqu'un. Le meurtre du vieil homme était, par contre, le fait de gens qui voulaient éviter impérativement un contact direct entre Aung San Suu-Kyi et Malko.

Si c'étaient les Services birmans, il eut été plus simple de s'attaquer directement à Malko, ne serait-ce qu'en l'expulsant.

Il restait le général Thiha Latt. A première vue ce n'était pas lui, puisqu'il organisait une rencontre entre Malko et le leader de la Ligue pour la Démocratie... Donc, le général birman lui avait menti. Et Malko était bien manipulé, au cœur d'un piège tortueux bien asiatique. Pas vraiment encourageant. Andrea Meyer l'observait tendrement.

– Venez manger quelque chose, proposa-t-elle.

Elle avait préparé un dîner froid. Malko mangea sans appétit, obsédé par une unique question. Comment échapper à la nasse qu'il sentait se refermer autour de lui? Du coup, Andrea avec sa bouche pulpeuse et ses seins arrogants semblait sur une autre planète. Elle le sentit et, dès qu'ils eurent terminé, proposa :

– Je vais vous ramener au *Strand*.

Tandis qu'ils traversaient Rangoon, toujours aussi désert, Malko se remit à penser à George Kearod. Lui possédait la clef du mystère. Seulement, il était à Bangkok. Il avait l'impression qu'il existait un lien entre sa rencontre avec You-Yi et ce qui s'était passé, sans parvenir à comprendre clairement l'articulation des événements. Et pendant ce temps, le compte à rebours était commencé : d'un jour à l'autre, il allait recevoir le feu vert pour la réunion entre Aung San Suu-Kyi, le général Latt et lui. Or, tout tournait autour de cela.

Andrea Meyer l'étreignit avant de le déposer en face du *Strand*.

– J'ai peur pour vous, murmura-t-elle.

Sa chambre lui parut absolument sinistre. Il finit par s'endormir difficilement et fut réveillé le lendemain à neuf heures par un petit vieux cassé en deux qui lui apportait un petit déjeuner composé de beurre rance, de toasts rassis et d'un café infâme. Comme tous les jours, il donna un billet de 90 kyats et le serveur fila en bas chercher la monnaie.

Quand il revint, Malko était sous la douche, froide comme d'habitude, et le vieux posa les billets sur le plateau. En sortant de la salle de bains, Malko allait les empocher quand il vit écrit en grosses lettres rouges sur un billet de un kyat : *Pagoda Shwedagon, 5 P.M.*

Il sortit dans le couloir mais le serveur avait disparu. Encore un rendez-vous secret ! Sous la surface tranquille de la dictature triomphante, grouillait en réalité tout un réseau d'opposition. Ces appels pressants, lancés avec des risques énormes, signifiaient qu'il courait un danger certain. Mais lequel ? Si le général Thiha Latt avait voulu se débarrasser de lui, c'eût été facile. Il fallait encore tuer le temps, jusqu'à cinq heures, l'angoisse au ventre.

La pagode Shwedagon se dressait en plein centre de
Rangoon, sur Singuttara Hill, une énorme *stupa* (1) de
cent mètres de haut, entièrement recouverte de feuilles
d'or. Plus de soixante tonnes, en tout, valant un
milliard de dollars. La huitième merveille du monde.
Les rares touristes de Rangoon s'y ruaient évidemment
et sa présence pourrait ainsi se justifier. Quand il
descendit et annonça à un taxi sa destination, il n'y eut
aucun problème. Le tricycle pétaradant s'élança vers le
nord. Le sac Shan pesait au bras de Malko. Sous
différents papiers se cachaient le pistolet extra-plat. Il
risquait d'en avoir besoin. Il se demanda si toutes ses
allées et venues étaient surveillées.

La flèche d'or majestueuse de la stupa, illuminée par
les rayons du soleil, se découpait entre les banians de
Pagoda Road, menant droit à la pagode Shwedagon.
Féérique! De près, sa taille la rendait véritablement
impressionnante. Le taxi déposa Malko devant la porte
sud. Devant lui s'ouvrait un gigantesque escalier couvert, coupé de paliers, bordé d'innombrables échoppes
vendant tout ce qu'on pouvait offrir au Bouddha, plus
des tissus, des statuettes, des bouddhas de toutes les
formes et de toutes les matières, hiératiques à souhait.
Une foule grouillante se pressait à l'entrée, surtout
des femmes aux joues barbouillées de tanakha, achetant
des cierges, des baguettes d'encens, des colliers de
fleurs. Des bonzes en robe safran contemplaient digne-
ment cette agitation mercantile en compagnie de quelques militaires mollement appuyés sur leur G.3, gardant
l'entrée de la pagode.
Malko se lança dans l'escalier après avoir mis ses
chaussures dans son sac, par-dessus son pistolet extra-
plat. Se demandant comment on allait le repérer.

(1) Flèche en forme de coin très allongé.

L'esplanade entourant la stupa, où se pressaient tous les pèlerins, mesurait près de quatre hectares et était noire de monde... Evidemment, il n'y avait pratiquement pas d'étrangers... Arrivé au sommet de l'escalier, Malko ne pouvait plus regarder un Bouddha sans avoir des nausées... Il y en avait des milliers entassés dans les échoppes le long des marches, en bois, en pierre, en cuivre, en papier...

Un oiseleur, au sommet des marches, offrait un empilement de cages pleines d'oiseaux. Pour quelques kyats on en libérait un, gagnant ainsi quelques « mérites ».

L'esplanade était totalement kitsch! Autour de la stupa recouverte d'or se dressaient des centaines de petites pagodes construites par des dévots, afin d'obtenir des « mérites ». Elles se présentaient souvent comme une sorte de crypte surmontée d'une stupa, peinte de couleur vive, avec une grille pour protéger les offrandes. Certaines avaient la taille d'une véritable maison... Partout des gens en prière à même le dallage, prosternés en direction de la pagode centrale ou d'un des bouddhas. La foule se déplaçait autour du monument central en tournant dans le sens des aiguilles d'une montre et Malko se mêla aux pèlerins. Personne ne s'offusquait de sa présence, le bouddhisme étant une religion ouverte et tolérante. Il parvint ainsi au niveau de l'entrée nord d'où partait un escalier identique à celui qu'il avait emprunté. Un groupe recueilli était aggluttiné autour d'un puits contenant quelques cheveux du Bouddha, y jetant des fleurs et de menues offrandes...

Un vendeur de fleurs lui offrit pour 1 kyat un petit bouquet d'orchidées qu'il jeta dans le puits sous l'œil attendri de ses voisines. Les femmes étaient étonnamment appétissantes, la bouche maquillée, soignées, pimpantes dans leurs longyis multicolores. Il était en train de se dégager de la foule pour reprendre sa promenade quand il se trouva nez à nez avec un jeune homme à l'air dévot. Il sentit qu'il pressait fugitivement sa main, le regard posé sur lui avec insistance. Il recula ensuite. Le contact était établi.

Son « guide » fit quelques pas en direction du pavillon du Roi Tharawaddi sur leur droite, se prosterna devant, se releva et s'engagea sans se presser dans les escaliers de la sortie nord. Malko suivit le Birman à bonne distance. Il le vit s'arrêter devant une des innombrables boutiques juste après le premier palier, pour y disparaître.

Afin d'égarer un éventuel suiveur, Malko lui-même traversa et s'intéressa à de petits Bouddhas de bois pas trop laids, en discuta le prix et finit par en acheter un pour la modique somme de douze dollars... Au marché noir, évidemment. Pendant que le marchand l'emballait avec componction, il regarda autour de lui. Le jeune homme n'avait pas réapparu et il ne voyait rien de suspect, à part le double flot des pèlerins montant et descendant...

Malko fit encore quelques pas, admirant les kalaghas hideux et retraversa. La boutique où le jeune homme était entré offrait de vieilles marionnettes en bois du théâtre birman, habillées de loques multicolores, en sus des horreurs habituelles. Le marchand en décrocha une, un magicien tout de rouge vêtu, pour l'agiter devant Malko, puis, par gestes, il lui fit signe de pénétrer à l'intérieur de l'échoppe où s'entassaient des antiquités vieilles de trois semaines. C'était si petit qu'il n'y avait même pas de place pour s'asseoir !

La suite vint très vite. Le marchand, après avoir jeté un coup d'œil à l'extérieur, écarta devant Malko un rideau dissimulant un étroit passage menant à une arrière-boutique encore plus poussiéreuse que l'échoppe. Au milieu, Malko aperçut une trappe ouverte dans le plancher de bois. Il se pencha, découvrant un puits sombre et une échelle. Le marchand le poussait déjà pour qu'il l'emprunte. Il commença à descendre, assailli aussitôt par une odeur pestilentielle d'égout. La trappe se referma aussitôt, le laissant dans une obscurité totale. Il tâtonnait, à la recherche du sol, quand le faisceau d'une lampe électrique éclaira des caisses, des marionnettes accrochées à un mur, des Bouddhas empilés sur un sol de terre battue.

Quelqu'un alluma une grosse bougie et s'avança vers lui. Dans la lueur dansante de la flamme, il reconnut le visage mutin de You-Yi. Toujours aussi ravissante, mais ses traits lisses avaient une expression dure, crispée. Derrière elle se trouvait trois hommes, très jeunes. L'un d'eux tenait un fusil d'assaut G.3, chargeur engagé.

CHAPITRE XI

La voix de You-Yi claqua avec sécheresse.

– *Sit down!*

Le ton était froid, presque menaçant. De sa longue main fine, elle désignait à Malko une caisse sur laquelle était posé un coussin usé jusqu'à la corde. Ce dernier s'installa, balayant d'un coup d'œil rapide l'endroit où il se trouvait. Une sorte de cave-entrepôt encombrée d'un bric-à-brac noirâtre. L'odeur de moisi prenait à la gorge. Dans une niche creusée dans le mur, un bouddha doré brillait tristement, encadré de plusieurs bâtonnets d'encens qui luttaient inégalement contre la puanteur des lieux. Plusieurs grenades défensives étaient alignées par terre, avec des chargeurs de G.3 et un vieux pistolet mitrailleur de marque inconnue. Les trois garçons, très jeunes, arboraient des expressions concentrées, presque agressives. L'un d'eux serrait la crosse de son G.3 comme la hampe d'un drapeau.

– Je cherche à vous joindre depuis l'autre jour, dit Malko, mais votre téléphone ne répond pas et on m'a dit que vous étiez en province...

– Qui « on »?

– Chit-Kin.

La jolie bouche de You-Yi se tordit en une grimace de mépris.

– Cette chienne! Ce rat puant! C'est elle qui m'a dénoncée.

Malko la coupa d'un geste agacé.

– You-Yi, dit-il, cessons de jouer à cache-cache. Vous savez qui je suis et ce que je fais en Birmanie. Moi j'ignore tout de vous. Je vous prenais pour la fiancée de Yé-Wé, ce qui se révèle faux. Mais j'ai trouvé votre téléphone sur lui. Alors, qui êtes-vous? Et quel est votre lien avec lui?

– Je suis la responsable de la coordination intérieure pour l'élection de *Daw* Aung San Suu-Kyi, dit-elle avec une pointe d'emphase. Nous sommes le bras armé de la Ligue Démocratique. Yé-Wé était mon compagnon de lutte. Il venait d'être nommé responsable de la coordination extérieure. C'est-à-dire des actions menées hors de Birmanie et des contacts avec ceux qui sont prêts à nous aider. C'est moi que vous étiez supposé contacter pour votre mission à Rangoon, quelle qu'elle soit.

C'était au tour de Malko d'être perplexe.

– Comment expliquez-vous que Yé-Wé ne m'ait jamais parlé de vous? Et qu'il m'ait dirigé sur une autre personne, May Sein? Elle n'a aucun contact avec la résistance?

– C'est une des mouchardes de la Special Branch! dit You-Yi avec violence. Elle a été la maîtresse du général Thiha Latt, notre pire ennemi. Nous savons tous qu'elle travaille avec Tatmadaw et le gouvernement.

– Alors, pourquoi Yé-Wé m'a-t-il envoyé à elle et non à vous? insista Malko.

Un des étudiants accroupis le long du mur avait allumé un gros cheroot dont l'odeur âcre achevait de rendre l'atmosphère du réduit irrespirable... You-Yi demeura muette. Visiblement déstabilisée. Elle dit enfin :

– Je ne sais pas ce qui s'est passé depuis qu'il a quitté Rangoon avec nos camarades Kyaw Zaw, Ma Don et Tim-Yo, son frère. J'avais entièrement confiance en lui. Il paraît qu'ils ont été interceptés par des Rangers. Des gens m'ont dit que son frère Tim-Yo se trouvait à la prison d'Insein depuis quelques jours, mais je n'ai pu le vérifier. Il était parti avec lui. Peut-être que...

Elle laissa sa phrase en suspens. Malko la regarda, plein de pitié. Ce n'était pas la première fois dans la guerre clandestine qu'un chef de réseau était « retourné » et se mettait à travailler pour l'ennemi. Yé-Wé, pour une raison qu'il ignorait encore, avait probablement trahi. Peut-être en échange de la vie de son frère. Voilà pourquoi à Bangkok il semblait si mal à l'aise. Mais cela impliquait que George Kearod était forcément son complice.

– Et George Kearod? demanda-t-il. Vous avez confiance en lui? Parce qu'il était avec Yé-Wé à Bangkok...

You-Yi dit d'une voix lasse :

– Je ne sais plus! J'avais confiance en lui. Il nous avait encouragés, il avait caché certains des nôtres. Il n'aimait pas les militaires. Mais lui savait très bien que May Sein n'était pas une résistante.

– Je crois qu'il faut vous faire une raison, dit Malko, Yé-Wé et George Kearod ont été retournés, *tous les deux*. On saura peut-être un jour pourquoi.

L'Américain lui avait paru peu digne de confiance dès le début. Pauvre Mike Roberts, il allait déchanter sur son « rêve ». Lui qui voulait tellement sauver la Birmanie! Ce n'était pourtant pas un naïf. Hélas, on repérait toujours les traîtres trop tard. Il toussa à cause de la fumée nauséabonde du cheroot et dit :

– Maintenant que nous avons le début de l'histoire, dites-moi ce qui vous est arrivé, à vous?

You-Yi s'appuya au mur. Elle semblait décomposée par la nouvelle de la trahison de Yé-Wé. D'une voix mal assurée, elle expliqua :

– J'avais réussi, tout en continuant mon action clandestine, à ne pas être repérée par les gens du MIS. J'exerçais normalement mon métier d'actrice. Et puis, le lendemain du jour où je vous ai vu, une équipe du MIS a débarqué chez moi. Ils ignoraient que j'étais armée, aussi j'ai pu leur échapper en en tuant un. Mais maintenant, je suis traquée et je dois demeurer dans la clandestinité.

– Pourquoi accusiez-vous Chit-Kin de vous avoir dénoncée?

– Parce qu'elle travaille aussi pour les Services. Et je pensais que vous aviez été imprudent, que vous aviez pu lui parler de moi.

Malko secoua la tête.

– Non, ce n'est pas Chit-Kin. J'ai mentionné votre nom *après* vos problèmes.

– Alors, qui?

C'était dur à sortir. A Bangkok, Malko avait laissé le numéro de téléphone de You-Yi à Mike Roberts. Ce dernier n'avait pas de secret pour son copain George Kearod. Puisque ce dernier trahissait, il lui était facile de le transmettre aux Birmans.

Il expliqua l'histoire à You-Yi, muette de dégoût. Il restait à lever le dernier coin du voile.

– C'est vous qui m'avez envoyé U Tun? demanda-t-il.

– Oui. J'ai prévenu *Daw* Suu-Kyi de ce qui se tramait, à la suite de notre rencontre. Elle voulait vous mettre en garde contre le général Latt.

– Comment les gens des Services l'ont-ils su?

– Je pense qu'ils vous surveillent. Ils faisaient de même avec U Tun. Lorsqu'ils l'ont vu se diriger vers l'endroit où vous vous trouviez, ils l'ont tué pour qu'il ne puisse pas vous parler.

Malko avait l'impression que son sang se changeait en plomb. Ce n'était pas seulement de réaliser à quel point il était en danger. Mais aussi la fureur d'avoir été manipulé comme un débutant depuis le début. Il restait la question clé : pourquoi?

– Que cherche le général Thiha Latt avec cette combine tordue? demanda-t-il.

You-Yi écarta des cheveux qui lui tombaient dans les yeux.

– Je crois qu'il y a une explication simple. La Junte ne sait pas comment se débarrasser de *Daw* Aung San Suu-Kyi. Ils n'osent pas la tuer, parce que cela ferait mauvais effet à l'étranger. Alors ils veulent la compromettre. Les Birmans sont très nationalistes. Si les Services pouvaient prouver qu'elle est en contact avec la CIA, ils la déconsidéreraient, et, en plus, pourraient lui faire un procès et la condamner...

Malko eut du mal à dissimuler son scepticisme. Il devait y avoir des moyens plus simples pour neutraliser une femme comme Aung San Suu-Kyi... Mais en même temps, tout le mécanisme de cette manip semblait destiné à lui faire rencontrer, lui agent de la CIA, la leader birmane.

You-Yi l'observait, visiblement décontenancée par sa réserve. Elle demanda brusquement :

– Avez-vous entendu parler d'un vieux bonze qui se nomme *Red Eagle*?

– Oui, dit Malko. Pourquoi?

– Vous le considérez comme un homme en qui on peut avoir confiance?

– Je pense, dit Malko.

Le nom de *Red Eagle* revenait souvent dans les rapports de la CIA concernant l'insurrection de juillet 1988. La traduction anglaise du nom d'un bonze de grade élevé qui avait aidé, protégé les étudiants et organisé l'action contre le gouvernement. Depuis, on n'en avait plus entendu parler et on le croyait mort ou emprisonné. Malko revoyait ses photos : le crâne rasé tout rond, un nez très épaté, une petite bouche de poisson et un regard d'une force extraordinaire.

– Je vais vous le faire rencontrer, dit You-Yi. Il vous confirmera ce que je vous dis. Venez.

Elle lança un ordre en birman et deux des garçons déplacèrent plusieurs caisses empilées le long du mur, découvrant l'entrée d'un boyau horizontal à peine étayé. D'après sa direction, Malko conclut qu'il allait vers la pagode Shwedagon. Avant de s'y engager, You-Yi précisa :

– Sans l'aide de *Red Eagle*, nous n'aurions jamais pu organiser la résistance. En Birmanie, les soldats n'ont pas le droit de pénétrer dans une pagode avec leurs armes ou sans se déchausser. Cela permet de gagner du temps.

Ils s'enfoncèrent dans le tunnel, courbés en deux, à la queue leu leu, trébuchant sur le sol inégal. Des rats leur filèrent plusieurs fois entre les jambes. Le boyau donnait sur un puits avec une échelle. You-Yi grimpa la première et souleva une trappe. Malko la suivit, débouchant dans une petite pièce où se trouvaient trois bonzes en robe safran. Ils veillaient devant une massive porte en bois sombre clouté, assis sur des nattes. You-Yi engagea à voix basse une discussion avec eux. L'un d'entre eux entrouvrit la porte, s'y glissa et disparut. Ils attendirent plus de vingt minutes son retour. Nouveau conciliabule.

— *Red Eagle* va vous recevoir, annonça You-Yi, mais il faut que cette entrevue demeure secrète. Il ne parle à aucun étranger.

— D'accord, promit Malko.

A son tour, il franchit la porte qui donnait sur un couloir faiblement éclairé. Ils se trouvaient sous la pagode Shwedagon elle-même. Ils pénétrèrent dans une pièce qui sentait l'encens avec des étagères pleines de bouddhas et de génies. Des bougies brûlaient partout. Un bonze âgé était en train de lire à haute voix des prières, entouré de deux bonzillons. Malko reconnut tout de suite celui qu'on appelait *Red Eagle*.

Il s'assit en face du bonze qui prit le temps de terminer sa page avant de lever la tête. En assez bon anglais, il dit avec un sourire malin.

— Chez nous en Birmanie, il y a un proverbe qui dit : « Ne te presse pas d'aller à Mandalay, la ville ne bougera pas. » Le temps ne nous appartient pas et une prière est plus utile qu'un acte brusqué. Vous avez voulu me rencontrer?

— Oui, dit Malko. You-Yi vous a dit qui je représente?

— Bien sûr, dit *Red Eagle*. Nous avons obtenu peu de secours de l'extérieur et nous sommes heureux de voir que cela change. Mais il ne faudrait pas que nos amis se conduisent comme nos ennemis.

– C'est-à-dire?

Red Eagle fixa Malko avec intensité.

– Ceux qui vous ont dit que *Daw* Suu-Kyi était prête à s'allier avec le général Thiha Latt sont des menteurs.

Il parlait d'une voix calme et posée, la tête légèrement penchée en avant, et ses disciples buvaient ses paroles.

– Pourquoi? demanda Malko.

– Cet homme est un de ses pires ennemis, un adversaire de toute liberté. Il est corrompu, avide de pouvoir et sans scrupules. Il a voulu perquisitionner pendant les massacres dans la pagode Dagpaungsu, à la tête de ses hommes. Un des plus vieux ermites de cette pagode – un saint homme entre tous – s'est dressé devant lui et lui a dit : « Si tu n'enlèves pas tes chaussures et si tu ne déposes pas tes armes, tu seras obligé de me tuer pour passer. » Alors, le général Thiha Latt lui a vidé le chargeur de son pistolet dans le corps... Rien de bon ne peut venir d'un tel homme. Il est acharné à notre perte et fera tout pour garder le pouvoir. Si on t'a raconté cette fable, fuis la Birmanie et va répandre la vérité.

Il referma les yeux quelques instants, puis se pencha sur un livre de prières, et recommença à psalmodier.

You-Yi tira Malko par la manche : la « consultation » était terminée. Ils repartirent par le même chemin. Malko définitivement convaincu. La sincérité du bonze ne faisait aucun doute, comme son rôle dans la Résistance. Malko avait été mené en bateau. Maintenant, il fallait gérer la catastrophe.

Revenue à l'entrée du tunnel, You-Yi demanda avec anxiété :

– Vous le croyez?

– Bien sûr, dit Malko. Il a des contacts avec Aung San Suu-Kyi?

– Assez régulièrement, par des voies compliquées. Je vous l'ai dit, c'est lui qui fournit toute la logistique de notre Résistance. Sans les pagodes et les *pongyi*(1), nous ne pourrions pas survivre. Les bonzes croient à la paix et à la démocratie. Beaucoup ont été assassinés par l'armée, comme ce pauvre ermite.

— Comment cette violence est-elle possible dans un pays aussi bouddhiste?

You-Yi hocha tristement la tête.

— Les soldats sont enrôlés très jeunes. Ils sont analphabètes et les officiers leur font croire que les bonzes sont des communistes, qu'ils ne sont plus des hommes de Dieu. De plus, quand on les envoie à l'assaut d'une pagode on leur fait boire du rhum de Mandalay, à jeun... Ils ne savent plus ce qu'ils font.

— Mais tous les bonzes sont de votre côté?

— Hélas non. Il y a la solidarité des générations. Beaucoup de chefs de pagode ont le même âge que Ne Win et ceux qui dirigent Tatmadaw. Ils les croient et les autres les couvrent de cadeaux. La télévision a annoncé ces jours-ci que le gouvernement avait débloqué des crédits pour faire construire un escalator électrique à la place des escaliers de la pagode Shwedagon, afin que les pèlerins viennent plus facilement. Evidemment les vieux bonzes trouvent cela magnifique. Sans penser aux gens qui meurent de faim parce que le riz coûte 25 kyats le kilo.

Ils se réenfilèrent dans le boyau. Malko, en proie à une rage froide. Tout son « accueil » en Birmanie était un montage. Concocté par Yé-Wé et George Kearod, employé de la CIA! Sans l'acharnement de Yé-Wé, il aurait été directement dans le piège, tête baissée, avec des conséquences terrifiantes. Un rat fila, à moitié écrasé par un coup de pied de l'homme de tête, et disparut dans l'obscurité avec un couinement aigu.

Poussiéreux, ils regagnèrent la cave du marchand de marionnettes. Malko venait de penser à quelque chose. Il se tourna vers You-Yi.

— Si le rendez-vous proposé par le général Thiha Latt

(1) Bonzes.

est un piège, pourquoi ne m'a-t-il pas emmené *tout de suite* chez Aung San Suu-Kyi? Avant d'éventuelles interférences.

L'étudiante birmane demeura silencieuse d'interminables secondes, cherchant visiblement une réponse, puis son visage s'éclaira.

– Cette histoire est sûrement organisée par le général Ne Win, dit-elle. Or, il ne prend aucune décision importante sans le conseil de son astrologue, U Nga Myaing. Aujourd'hui, nous sommes le 6. Il croit au pouvoir bénéfique du chiffre 9. Vous devriez avoir ce rendez-vous dans trois jours...

Malko allait répondre lorsqu'un piétinement au-dessus de leur tête l'arrêta. You-Yi avait levé les yeux, avec un regard inquiet. Tous retinrent leur souffle.

Quelques secondes plus tard, des coups violents furent frappés sur la trappe, comme si on essayait de l'enfoncer.

– *Tatmadaw!*

You-Yi avait chuchoté. Avant qu'ils puissent réagir, trois coups de feu assourdis claquèrent au-dessus de leur tête.

Un rai de lumière : quelqu'un était en train de soulever la trappe. Le faisceau d'une lampe électrique puissante balaya le réduit. Dans un réflexe immédiat, le garçon au G. 3 leva son fusil et lâcha une rafale, sans même savoir si on les avait vus. La trappe se referma aussitôt violemment. Il ne restait plus que le rougeoiement des bougies devant le bouddah. Malko entendit les jeunes Birmans s'interpeller dans l'obscurité. Il plongea la main dans son sac et en sortit son pistolet extra-plat, puis fit monter une balle dans le canon. Le sang cognait dans ses tempes. Comment allait se terminer cette équipée?

– Le tunnel! lança-t-il, Partons.

Au même moment la trappe se rouvrit. Malko aperçut en une fraction de seconde une main qui lâchait un objet rond.

Une grenade.

**
*

You-Yi poussa un cri aigu. Le faisceau de sa lampe éclaira le boyau étroit filant à l'horizontale, au moment où la grenade rebondissait sur le sol de terre battue.

Malko vit l'engin rouler à ses pieds. Il avait moins de deux secondes pour réagir. Sans même réfléchir, il se baissa, saisit la boule de métal – une américaine quadrillée – et la jeta dans le boyau. Plusieurs choses arrivèrent en même temps. Malko plongea derrière une grosse caisse, You-Yi hurla et un des garçons s'engouffra dans le tunnel sans voir que Malko y avait jeté la grenade...

Une seconde plus tard, l'engin explosa avec une sourde détonation. Le jeune Birman qui se trouvait encore à l'entrée du boyau sauta comme le bouchon d'une bouteille de champagne et retomba sur le sol de la cave, recroquevillé, les deux mains crispées sur son ventre. La lueur de la lampe éclaira son visage déchiqueté et sa poitrine couverte de sang. Il râlait encore bien que pratiquement mort. You-Yi le fixait, tétanisée. Malko toussa, incommodé par l'âcre odeur de TNT. En haut, on devait les croire tous morts. L'explosion d'une défensive dans un espace aussi réduit, cela ne pardonnait pas...

– Vite, dit Malko.

Il poussa You-Yi dans le boyau où elle s'engagea à quatre pattes. Il la suivit et les deux survivants s'y glissèrent à leur tour. Ils franchirent ainsi une vingtaine de mètres sans un mot, puis la lampe de You-Yi éclaira un embranchement sur la gauche, que Malko n'avait pas repéré lors de leur premier voyage.

– Partez par là, dit la jeune femme, je vous rejoins.

Elle alluma un briquet. Malko aperçut alors la mèche d'un cordon Brickford relié à plusieurs pains d'explosifs calés contre la paroi. Les étudiants n'étaient pas trop mal équipés.

La mèche lente se mit à grésiller et ils s'éloignèrent le plus vite possible.

Quelques instants plus tard, il y eut une explosion sourde. Le tunnel par lequel ils étaient arrivés venait de s'écrouler. Celui où ils se trouvaient se terminait en cul-de-sac donnant sur un autre puits. Des barreaux scellés permettaient de l'escalader. Malko et les autres atteignirent une plate-forme d'où partaient deux autres tunnels à l'horizontale.

Courte conversation en birman, puis les deux garçons s'éloignèrent. Assise contre le mur humide, You-Yi reprenait son souffle. Elle grimaça un sourire à l'adresse de Malko.

– Ces tunnels ont été creusés pendant la guerre anglo-birmane de 1852, expliqua-t-elle. Par des pillards britanniques qui cherchaient des trésors. Nous avons retrouvé les plans grâce aux bonzes de la Pagode qui sont avec nous...

– Et ces armes?

– Ce sont celles que nous avons prises aux soldats pendant l'insurrection. Nous n'en avons pas beaucoup.

– Qu'allons-nous faire maintenant? demanda-t-il.

L'éloignement du danger immédiat ne réglait pas tous les problèmes.

– Moi, c'est facile! dit-elle, j'ai toute une organisation de caches. Celle-ci est grillée, mais ce n'est pas grave. Je vais continuer la lutte contre la Junte. Pour vous, c'est simple aussi : repartez pour Bangkok et retrouvez ce traître de George Kearod. Expliquez à vos amis ce qui s'est passé.

– Les gens du MIS m'ont suivi, objecta-t-il. Ils ne sont pas arrivés par hasard.

You-Yi alluma une 555 State Express. Son calme était incroyable après ce qui s'était passé.

– Ils surveillaient peut-être notre ami du magasin, avança-t-elle. Ils ont des mouchards partout. Evidemment, s'ils savent que vous m'avez rencontrée, ils vont vouloir vous tuer.

— You-Yi, demanda-t-il, que va-t-il arriver à Aung San Suu-Kyi, si je repars?

— Rien, fit-elle avec un soupir. Ils vont continuer à la garder enfermée jusqu'après les élections. Ils la relâcheront quand elle ne sera plus dangereuse. Mais, finalement, nous vaincrons, même si nous avons encore des milliers de morts.

Elle se leva, écrasant sa cigarette.

— Où allez-vous? demanda Malko.

— Je dois partir. Suivez le tunnel de gauche. Il va vous mener dans les ruines d'une pagode qui se trouve dans une zone boisée. Maintenant, il fait nuit, vous ne risquez rien. De là, gagnez la rue qui prolonge l'entrée sud de la pagode Shwedagon.

— Comment puis-je vous joindre? demanda-t-il.

You-Yi le regarda avec tristesse.

— Vous risquez d'être torturé. Je ne peux rien vous dire, notre organisation est encore trop fragile.

De mieux en mieux... Comme elle disparaissait dans le tunnel, elle se retourna et lança :

— Vous nous avez sauvé la vie tout à l'heure. Vous avez du courage. J'espère que *vous*, vous ne nous trahirez pas... Si vous avez besoin de me joindre, allez à la pagode Mingaladon, tout au nord de la ville, après l'aéroport. Un vieux bonze karen est embaumé là. Il y a toujours un pongyi qui veille sur la momie et accepte les offrandes. Remettez-lui ceci. Ensuite, attendez, promenez-vous et faites ce qu'il vous dira.

Elle lui tendit un minuscule bouddah en ivoire, de la taille d'un porte-clefs... Aussitôt, elle s'enfonça dans le tunnel et bientôt, Malko ne vit plus que la lueur de sa lampe. A son tour, il se mit en marche. Cent mètres plus loin, le boyau se mit à monter, puis il retrouva un puits vertical avec des barreaux pourris. L'air était de plus en plus frais. Il aboutit dans un éboulis et un rat fila devant lui. Il entendait le brouhaha d'une rue animée. Tout était sombre autour de lui. Il se hissa sur les vieilles pierres et retomba dans un sentier qu'il suivit, débouchant entre deux immeubles lépreux. A sa gauche, il aperçut au loin l'entrée de l'escalier couvert menant à la pagode Shwedagon. La rue grouillait d'animation et de boutiques vendant du Bouddah au kilo. Il se mêla à la foule, s'éloignant de la pagode. Du linge pendait aux fenêtres, les marchands encombraient le trottoir, les enfants jouaient partout, on se serait cru dans un Naples asiatique...

Il attendit d'avoir retrouvé un quartier plus calme pour héler un taxi collectif et s'installer sur sa banquette de bois. L'air frais le débarrassa de l'odeur des boyaux.

La pétarade du moteur deux temps rythmait ses pensées moroses. Il s'était fait avoir. You-Yi avait raison. S'il se jetait dans le piège tendu par le général Thiha Latt avec la complicité de George Kearod, le « stringer » de la CIA, il terminait d'un coup la carrière politique et peut-être la vie d'Aung San Suu-Kyi et sa propre vie en même temps.

Beau doublé pour un brillant chef de mission...

A la réflexion, l'opération de l'armée chez le marchand de marionnettes n'avait rien à voir avec lui. Sinon, les soldats n'auraient pas jeté une grenade dans la cave. Mort, il n'était d'aucune utilité au général Thiha Latt. Ce dernier allait même veiller sur lui comme la prunelle de ses yeux jusqu'à l'heure du rendez-vous avec Aung San Suu-Kyi.

Si You-Yi avait raison pour la date, cela lui laissait quarante-huit heures pour préparer son exfiltration. Dans le plus grand secret, sinon, le général birman, voyant sa manip éventée, le liquiderait immédiatement.

CHAPITRE XII

Le hall du *Strand* était vide. Tout comme le bar où les ventilateurs tournaient mollement au plafond. La tension de Malko tomba d'un coup. Il s'attabla et demanda au barman un rhum de Mandalay, à défaut de vodka. Les événements de la journée l'avaient secoué sérieusement. Une fois de plus, il avait frôlé la mort. Maintenant la conduite à tenir lui semblait lumineuse : démonter. Il était en présence de ce que l'on appelle un « cas non conforme ». La plupart des chefs de mission qui avaient passé outre aux avertissements du destin n'étaient pas là pour le dire...

« Démonter », cela signifiait quitter la Birmanie. Une sortie officielle étant hors de question, il fallait une exfiltration. Seule personne à pouvoir l'aider : Andrea Meyer.

Il abandonna son rhum pour aller téléphoner du desk. La jeune Allemande répondit elle-même.

– J'ai eu une journée un peu ennuyeuse, annonça Malko et je pensais vous inviter à dîner pour me détendre.

– *Ach!* C'est gentil, fit Andrea. Mais j'ai déjà un dîner.

– Nous pouvons peut-être boire un verre avant?

– Bon, je vais vous emmener à mon dîner, dit Andrea, après une brève hésitation. Cela se passe chez un ami, un diplomate indien. Je passe vous prendre dans une demi-heure.

Malko retourna à son rhum, un peu rasséréné. La perspective de retrouver la pulpeuse Andrea après ces dangers lui donnait une féroce envie de prendre une revanche sur la mort... Il finit son rhum d'un trait et remonta par le poussif ascenseur. Son exfiltration était urgente. Le général Thiha Latt allait d'un jour à l'autre lui donner le signal du rendez-vous piège. Le Birman avait monté une superbe opération de désinformation. Féroce et minutée comme un mouvement d'horlogerie. En retournant un des chefs de la résistance birmane et un homme clef du dispositif adverse. Classique, mais imparable.

*
**

Andrea Meyer traversa le hall du *Strand* d'un pas décidé, absolument splendide dans une robe de cocktail noire dont le décolleté à la limite de la provocation offrait ses seins compacts comme sur un plateau. Le photographe en train d'immortaliser deux mariés birmans qui descendaient l'escalier comme deux petits automates bien réglés en fit partir son flash d'émotion.

Malko, accoudé au bar, sentit un torrent de lave en fusion partir de ses reins. Les bas noirs à couture de la jeune Allemande semblaient mépriser le climat tropical et ses yeux gris allongés de vert brillaient comme ceux d'un chat. Quant au sourire de sa bouche charnue, il semblait dire à Malko : « Ce soir, je suis à toi. » Elle l'embrassa légèrement et lui prit le bras.

— Nous n'avons pas le temps de prendre un verre, dit-elle, Hotshand va être furieux...

— Qui est Hotshand? demanda Malko tandis qu'ils traversaient le hall.

— Un superbe diplomate indien qui avait fermement l'intention de me sauter ce soir, annonça gaiement Andrea. Cela fait des mois qu'il en rêve et sa femme est

partie hier pour Delhi. Il pense que je viens seule... Il
donne un grand dîner en mon honneur.

Malko se dit qu'elle allait être moins gaie en appre-
nant ce qui s'était passé...

Tandis qu'ils traversaient Rangoon pour gagner le
lac Inya, où habitait l'Indien, Malko mit Andrea au
courant.

— Il faut prévenir Mike Roberts immédiatement,
dit-elle, qu'il mette ce salaud de George Kearod hors
d'état de nuire. Il a bien caché son jeu. Il semblait
sympathiser tellement avec tous ces étudiants...

Elle se tourna vers lui.

— Qu'allez-vous faire?

— Nous en parlerons tout à l'heure, dit Malko,
caressant le genou gainé de nylon.

Ils quittèrent Prome Road pour s'engager dans un
chemin bordé de luxueuses villas, longeant le lac Inya.
Ils durent stopper à une chicane gardée par un poste
militaire qui les inspectèrent longuement avant de les
laisser repartir.

— Ne Win habite tout près, expliqua Andrea, c'est
l'endroit le mieux gardé de Rangoon.

Deux cents mètres plus loin, la jeune femme entra
dans le parc d'une villa où se trouvaient déjà une
dizaine de voitures. La villa était superbe, séparée du
lac par une grande pelouse en pente douce. Un homme
de haute taille se précipita pour accueillir Andrea et
changea de visage en voyant Malko. La jeune Allemande fit les présentations.

— Malko Linge, un vieil ami autrichien qui vient
d'arriver à Rangoon. Je ne pouvais pas le laisser seul,
vous comprenez, Hotshand... Hotshand Sabraj, le brillant Premier conseiller de l'ambassade de la République
Indienne, compléta-t-elle.

Le diplomate indien serra la main de Malko avec
tout l'enthousiasme qu'avait dû mettre l'empereur
Hiro-Hito à serrer celle du général Mac Arthur, en
1945. D'après son expression, il aurait volontiers laissé
Malko dans sa chambre d'hôtel et, même dans la cave,

bien attaché. Avec ses épais cheveux noirs, son nez aquilin, ses yeux de braise, il était superbe, sanglé dans un smoking blanc à la Mao. Son regard était posé sur Andrea avec la même intensité qu'un Éthiopien devant un super-marché regorgeant de victuailles...

– Vous êtes absolument sublime, Andrea, dit-il, d'un ton presque douloureux.

– Merci, fit la jeune femme.

Ils rejoignirent les invités – presque tous diplomates – qui se pressaient autour des bars dressés dans un grand salon et sur la pelouse. Andrea empila des glaçons dans un verre et y versa lentement un filet de Cointreau. Au contact de la glace, le liquide devint opalescent.

– C'est joli, n'est-ce pas, dit-elle à Malko avant d'y tremper les lèvres.

Après les bavardages d'usage, Andrea et Malko réussirent à s'esquiver, vers le bord du lac. Arrivés à un petit ponton, Andrea posa son verre de Cointreau en équilibre sur un poteau et enlaça Malko. Il la caressa doucement, sentant, à travers la soie de la robe, les longs serpents des jarretelles.

– Arrêtez, gémit-elle, ou je vais couler comme une fontaine.

Ils restèrent imbriqués l'un dans l'autre, savourant leur désir réciproque. Malko aperçut un canot à moteur amarré au ponton et suggéra en riant :

– Nous pourrions aller nous promener sur le lac.

– La nuit, c'est interdit, fit Andrea. A cause de Ne Win. Et puis, ce n'est pas assez confortable.

Il retrouvait dans son expression l'insolente sensualité animale qui l'avait frappé lors de leur première rencontre.

Un maître d'hôtel en blanc vint les avertir que le dîner était servi. Ils regagnèrent la salle à manger d'une élégance raffinée, création du décorateur Claude Dalle : une grande table en laque ivoire avec des incrustations de lapis, des chaises assorties, aux galettes de velours bleu. Bien entendu, Andrea se retrouva à la droite du diplomate indien et Malko en bout de table. Modeste vengeance... Dans le brouhaha des conversations, il n'eut guère le loisir de lui adresser la parole. Comme les invités s'étaient attardés, ils burent le café à toute vitesse, à cause du couvre-feu.

Hotshand Sabraj baisa goulûment la main d'Andrea et lui lança d'une voix chargée de reproches :

— J'espère vous revoir très bientôt.

Il ne prononça pas le même vœu à l'égard de Malko.

Dès que ce dernier se retrouva dans la Mercedes avec Andrea, la jeune femme éclata de rire.

— Pauvre Hotshand, il a passé la plus mauvaise soirée de sa vie! Quand il s'est aperçu que je portais des bas, il est devenu fou. C'est son fantasme absolu... J'ai les cuisses pleines de bleus tellement il m'a malaxée. J'ai cru qu'il allait m'arracher ma culotte. J'ai dû jurer de revenir dîner. Avec des bas et sans toi.

De nuit, les petites routes sinuant autour du lac Inya étaient particulièrement sinistres. Pas un véhicule. Quand une main de Malko remonta le long du bas d'Andrea, jusqu'à la peau, et ensuite, encore plus haut, la jeune femme fit une embardée qui faillit les jeter dans le fossé.

— Arrête, supplia-t-elle, nous arrivons.

A peine furent-ils dans le hall de la villa des Meyer qu'ils s'étreignirent furieusement. Le sac d'Andrea tomba à terre, Malko jeta son pistolet au creux d'un fauteuil. Il n'avait pas assez de mains pour caresser la jeune femme.

— Viens! Viens dans la chambre, dit-elle, nous avons toute la nuit.

Plus question de repartir avant l'aube. Malko, après cette longue attente, toutes ces occasions remises, n'avait plus envie de patienter jusqu'à la chambre. Sans un regard pour la bouteille de Dom Pérignon dans son seau à glace, ils tombèrent sur un épais tapis chinois. Il la dépoitrailla, faisant jaillir ses seins gonflés, et d'un coup de genou, lui ouvrit les jambes. Puis il se laissa choir sur elle, qui riait tout en l'embrassant. Son sexe roide n'en pouvait plus. Il écarta son slip et sans même l'ôter, d'une seule poussée, s'enfonça en elle.

– Ahh!

Haletante, Andrea s'était immobilisée, clouée au tapis. Malko, le sang battant ses tempes, jouissait de cet instant unique.

– Tu m'as violée! dit tendrement Andrea, c'est merveilleux.

Il commença à bouger, mais elle le repoussa.

– Tu es trop excité, je veux que ça dure. Viens.

Il s'arracha à elle qui l'entraîna dans une chambre, avec un immense lit très bas où ils tombèrent tous les deux. Immédiatement, Andrea arracha la chemise de Malko, ses mains et sa bouche lui attaquant la poitrine avec une habileté digne d'une Asiatique. Lui se mit à caresser doucement les cuisses gainées de nylon, mais quand il arriva à la lisière du bas, Andrea dit d'une voix ferme :

– Attends.

Déjà, elle défaisait la boucle Hermes de son pantalon et engloutissait le muscle raide qui venait de la prendre. Allongée sur le côté, elle entreprit de le faire grossir encore plus avec acharnement, des mains et de la bouche... Très vite, Malko fut au bord de l'éjaculation. Alors, Andrea ralentit son rythme, le masturbant avec douceur, jouant espièglement avec sa langue, puis l'enfournant de nouveau dans sa bouche. A une pause, un peu essoufflée, elle murmura d'une voix rauque, chargée de plaisir, regardant la colonne de chair qu'elle serrait à sa base.

– Tu vas me le mettre au fond du ventre. Et ailleurs si tu veux. Tu me feras exploser de plaisir. Tu me défonceras.

Elle s'excitait avec ses propres paroles. Sa bouche replongea sur lui. Malko attendit d'être à l'extrême limite pour l'écarter. Il lui ôta alors sa robe, ne lui laissant que ses bas. Puis, après lui avoir placé un coussin sous les reins, pour la surélever, il la prit d'une longue poussée rectiligne.

Ils firent l'amour longtemps. Chaque fois qu'il se sentait au bord de l'explosion, il s'arrêtait, abuté en elle. Même quand il ne bougeait pas, elle ronronnait de plaisir. Il la fit jouir aussi, serrant les jambes dans les siennes, se frottant simplement doucement sur elle. Andrea ne pouvait plus s'arrêter, secouée de spasmes, les yeux révulsés.

Finalement, Malko la retourna, la croupe offerte. D'un seul coup, il s'enfonça dans ses reins de tout son poids, jusqu'à la garde, arrêté seulement par l'élasticité de sa croupe. Andrea feula comme une lionne couverte.

— *Ja!* Défonce-moi! dit-elle. Fais-moi exploser.

Il se retira et revint, en la tenant aux hanches, la martelant de toutes ses forces. Elle était si ouverte qu'il n'avait même pas l'impression de violer ses reins. Alors, il se renfonça dans son sexe, et Andrea hurla sous la sensation nouvelle.

Il passa ainsi d'une ouverture à l'autre jusqu'à ce qu'il explose dans ses reins, épuisé, en nage. Andrea cria encore et resta comme morte.

*
*

— Il y avait des mois que je n'avais pas fait l'amour comme ça. J'ai eu envie de toi dès que je t'ai vu.

Le plaisir rendait sa voix encore plus rauque. Ses cheveux étaient collés à son front par la transpiration, son maquillage avait coulé partout, un de ses bas était filé, mais Andrea Meyer était encore plus belle. Ses seins gonflés semblaient avoir doublé de volume et leurs pointes se dressaient encore vers le plafond.

Hélas, la récréation était terminée.

— Andrea, dit Malko, il faut que je quitte la Birmanie. Clandestinement. Est-ce qu'on peut franchir facilement la frontière avec la Thaïlande?

Elle hésita :

— Non. C'est très dangereux et très difficile. Les abords de la frontière sont minés et patrouillés par des

Rangers qui tirent à vue. Pour un étranger comme toi, c'est pratiquement impossible.

– Est-ce que Jack Mankoff pourrait m'organiser une exfiltration avec le secours de la Company?

L'Allemande secoua la tête.

– Je vais lui demander. Hélas, je crois qu'on ne dispose pas de la logistique nécessaire. J'en suis pratiquement sûre, même...

Cela clôturait le sujet... Andrea alluma une cigarette, observant Malko.

– Que vas-tu faire?

– Essayer de convaincre You-Yi de m'aider, si je peux mettre la main dessus. Je n'ai pas d'autre solution.

Elle l'attira dans ses bras, le serrant de toutes ses forces.

– Je suis affreusement amoureuse de toi, murmura-t-elle, je ferais n'importe quoi pour te venir en aide.

Hélas, ses moyens étaient limités.

Dès qu'on dépassait l'aéroport de Rangoon, on se trouvait en pleine campagne, un paysage accidenté où les rizières alternaient avec la jungle d'où surgissaient quelques pagodes. Très peu de circulation, à part les vieux bus japonais verts et de rares camions. Malko avait commandé un taxi au *Strand,* sous prétexte de visiter des pagodes, principales attractions du pays. Il en était à sa troisième. Celle de Mingaladon où le vieux bonze karen reposait. Une sorte de pâtisserie blanchâtre, où les styles indiens et birmans se mélangeaient allégrement, avec des centaines de statues de divinités du Ramasoutra et la stupa traditionnelle au centre. La mort du vieux bonze avait visiblement arrêté les affaires! Les boîtes à offrandes, pleines dans les autres pagodes, étaient ici remplies de quelques maigres billets de un kyat.

Malko contourna la pagode et tomba sur une sorte

de vieux hangar encombré de planches. Un escalier de bois branlant montait au premier étage à peine plus luxueux. Un bonze maigre comme un cierge somnolait dans un coin, gardant la dépouille mortelle embaumée du grand bonze.

Ce dernier ressemblait à une momie de luxe avec ses feuilles d'or remplaçant les bandelettes. Malko en fit le tour, tira un billet de 10 kyats de sa poche et le donna au bonze. Aussitôt, ce dernier se mit à taper sur un gong comme un sourd avec son marteau de bronze, afin d'annoncer aux dieux qu'un noble étranger venait de gagner une flopée de « mérites »... Malko attendit qu'il ait fini pour poser devant lui le minuscule bouddah remis par You-Yi.

Le bonze n'y toucha pas : il inclina seulement la tête, sans dire un mot et replongea en apparence dans sa méditation... Malko redescendit et tenta de s'intéresser aux sculptures, tournant autour de la pagode. Il en était au troisième tour quand un bonzillon, le crâne rasé, surgit devant lui. S'assurant qu'ils étaient seuls, il lui glissa dans la main un morceau de papier et s'éloigna.

Dessus, il n'y avait que quelques mots : *Botataung Pagoda. Hall of mirrors. 3 PM.*

Décidément, le système de *Red Eagle* fonctionnait bien. Les étudiants révoltés s'appuyaient sur les bonzes. Ceux-ci étaient partout respectés et nourris. Même les militaires ne les tuaient qu'au compte-gouttes. Ils devaient se téléphoner d'une pagode à l'autre. You-Yi, donc, n'avait pas encore été prise. Il restait à la convaincre.

Lorsque Malko pénétra dans le hall du *Strand* au retour de sa promenade, il crut être victime d'une hallucination : George Kearod attendait dans un des fauteuils! Il se leva et vint vers lui, avec un sourire radieux!

– J'ai pu me dégager de mes autobus! lança-t-il, ravi.
Ça y est, le contrat est signé et tout le monde est
content. Les Birmans le seront moins quand ils verront
dans quel état ils sont... Enfin, ils paient d'avance...
Venez prendre un verre.

Au bar, il se pencha vers Malko.

– Est-ce que tout se passe bien?

Malko surmonta son envie de serrer les mains autour
de son cou un peu flasque. A aucun prix, il ne fallait lui
donner l'éveil. On réglerait les comptes après, s'il y
avait un après.

– Absolument, fit-il. J'ai vu les gens que je devais
voir.

– Tant mieux, tant mieux! Je me faisais du mauvais
sang à Bangkok. Et où en êtes-vous?

– J'attends le rendez-vous final.

– Excellent! Beau boulot.

Encore un sérieux candidat à l'Oscar des salauds... Il
se pencha soudain vers les mains de Malko et dit en
riant :

– Vous étiez inquiet? Vous avez vu une chiromancienne? C'est la spécialité ici...

Malko regarda ses mains. L'encre grasse n'avait pas
encore totalement disparu.

– Oh, je me suis fait avoir par une chiromancienne
dans la rue. A propos, avez-vous eu du nouveau sur le
meurtre de Yé-Wé?

– Non. La police thaï prétend se heurter à un mur,
mais je crois qu'en fait ils ne veulent pas trouver. Ils
sont trop copains avec les Birmans...

Malko se sentait glacé. Le retour impromptu du
« stringer » de la CIA ne pouvait avoir qu'une significa-
tion : il savait ce qui allait se passer et ne tenait pas à
se trouver à Bangkok quand la CIA découvrirait la
vérité.

– On va déjeuner? proposa George Kearod. Chez
moi ou dans un restaurant. Ensuite, je peux vous
emmener où vous voulez...

C'était la tuile. Visiblement, il ne voulait pas lâcher Malko.

— Je n'ai pas très faim, fit celui-ci, je crois que je vais monter me reposer un peu.

Il se leva pour mettre fin à la conversation et fit involontairement tomber son sac Shan qui atterrit avec un bruit métallique sur le sol. George Kearod tiqua aussitôt.

— Dites donc, qu'est-ce que vous avez là-dedans?

— Un appareil photo, fit Malko en ramassant le sac. Bon, je vais me reposer... Je vous appelle tout à l'heure.

— Je vais à l'ambassade, dit l'Américain. Si vous vous sentez mieux, on peut boire un verre au salon de thé de l'hôtel *Dagon*, juste à côté du bureau d'Air France, en face de la pagode Sulé. Je dois aller organiser mon prochain déplacement en Europe. Comme je voyage en « Club », Air France s'occupe de tout, hôtel, location de voiture, avec des forfaits vachement intéressants. Alors, à quatre heures là-bas?

— OK, peut-être à tout à l'heure, accepta Malko.

Il se dirigea vers l'ascenseur. Mourant de faim. Il attendit une heure avant de redescendre. Cette fois, le hall était vide.

Il trouva un taxi qui le mena à la Botataung Pagoda, tout près de la Rangoon River, au fond d'un chemin poussiéreux. De l'extérieur, elle ressemblait à toutes les autres pagodes avec ses prières diffusées à tue-tête par un haut-parleur. Malko se déchaussa et entra dans le hall principal. Les boîtes à dons dégoulinaient de billets et le gong annonçant les « mérites » des donateurs n'arrêtait pas de retentir... Trois soldats de garde lui jetèrent un regard distrait. Depuis les troubles, où les pagodes avaient servi de refuge aux étudiants en rébellion, toutes étaient gardées par l'armée.

Il monta l'escalier menant au centre, se demandant ce que le message voulait dire par « Hall of mirrors ».

Il comprit aussitôt : le centre de la pagode, où reposaient quelques cheveux du Bouddah amenés vingt siècles plus tôt de l'Inde par une escorte armée, était entouré par un labyrinthe de galeries aux murs recouverts d'une mosaïque de glaces! Des vitrines étaient incrustées dedans, contenant les dons offerts à la pagode. Il y avait des recoins partout, des angles morts où des fidèles étaient abîmés en prières, tournant le dos aux visiteurs, face aux miroirs.

Malko commença son exploration. Il s'arrêtait derrière chaque fidèle, essayant de l'identifier. Il parvint enfin à un recoin où trois personnes étaient en prières. Deux bonzes et une femme. Celle-ci se trouvait enfoncée dans l'angle des miroirs, le visage caché par ses mains.

Malko allait continuer quand un détail accrocha son regard. Une bosse suspecte déformant la robe d'un des bonzes. Il ne lui fallut pas longtemps pour réaliser qu'il s'agissait d'une arme. Il examina mieux leurs visages et reconnut un des deux étudiants qu'il avait rencontré la veille dans le tunnel avec You-Yi! Ils s'étaient rasés le crâne comme les bonzes... A ce moment-là, la femme leva les yeux et leurs regards se croisèrent.

C'était bien l'étudiante rebelle.

– Agenouillez-vous, souffla-t-elle.

Malko obéit. Certes, ses cheveux blonds étaient visibles, mais les deux « bonzes » s'étaient relevés et le dissimulaient aux éventuels visiteurs qui ne regardaient d'ailleurs pas ceux qui étaient en prières.

– Que se passe-t-il? demanda You-Yi. Il est très dangereux pour moi de me déplacer.

– J'ai besoin de vous, dit Malko. Mes amis ne peuvent pas me faire quitter la Birmanie. Il faut que vous m'aidiez.

You-Yi se retourna lentement vers lui. Elle avait vieilli de dix ans en quelques jours. La joie qui irradiait son regard avait fait place à une lueur triste, désabusée. Les coins de sa bouche tombaient.

– Je ne peux pas, dit-elle simplement. Je n'ai pas le droit, il m'est impossible de mettre en péril ce qui reste de mon réseau pour vous. Les Américains sont riches et puissants. Ils ont des avions et des hélicoptères. Nous n'avons qu'une poignée de fidèles.

Ils se toisèrent quelques secondes. Malko repensait à leur première entrevue. Il sentait qu'il ne la fléchirait pas, et, à la limite, la comprenait. Il fit quand même une tentative.

– C'est Yé-Wé qui a trahi, remarqua-t-il.

– George Kearod aussi, dit-elle. Je vous souhaite de vous en sortir.

Elle dit quelques mots en birman aux deux faux bonzes et ils s'éloignèrent dans le labyrinthe de glace. You-Yi avait basculé dans un univers féroce et glacial où il n'y avait plus de place pour les sentiments. Perturbé, Malko ressortit de la pagode et le soleil lui tomba brutalement sur les épaules. Les options ouvertes à lui avaient fondu, se résumant à une seule. Attendre le coup de fil du général et se jeter dans le piège. Ou alors se tirer tout de suite une balle dans la tête.

Appuyé à la rambarde entourant le bassin d'eau verdâtre rempli de tortues, Malko essaya de trouver une solution, bercé par les chants aigus. Il n'y réussit pas, débouchant seulement sur une possibilité éloignée de rester encore quelques jours en vie.

CHAPITRE XIII

La voix basse et rauque de Sandy Nwé envoya une décharge d'adrénaline dans les artères de Malko.

– Demain, nous avons un cocktail très sympathique, disait la voix. Si vous êtes libre, nous passerons vous chercher à l'hôtel vers sept heures et demie.

– Je serai libre, dit Malko avant de raccrocher.

Son pouls mit un certain temps à redevenir normal. Le piège venait de se refermer. Il sortit de sa chambre et partit à pied vers Merchant Street. Il était cinq heures trente et les employés de l'ambassade américaine allaient sortir... Il arriva juste à temps, au moment où Andrea Meyer montait dans sa Mercedes 190. Ils ne s'étaient pas reparlé depuis le matin. A l'expression de Malko, la jeune femme vit immédiatement qu'il y avait un problème.

– Il y a quelque chose de grave? demanda-t-elle anxieusement.

– Oui, dit-il, j'ai vu You-Yi, elle refuse.

Et la prédiction de You-Yi se réalisait : le lendemain, c'était le 9... Jour faste pour Ne Win.

– *Herr Gott!* murmura à voix basse la jeune femme. C'est terrible. Moi, j'ai tâté Jack Mankoff. Il ne peut rien faire non plus. Que vas-tu faire?

– Cela dépend de toi.

– De moi!

– Oui, tu ne peux pas résoudre mon problème, mais me faire gagner du temps.

– Comment?

– Tu as bien dit que ton ami indien rêve de t'inviter à dîner. Pourrait-il le faire demain, par exemple?

– Oui, je le pense, mais... pourquoi?

Elle n'avait même pas mis en marche, stupéfaite. Alors, Malko lui expliqua ce qu'il avait en tête. Andrea l'écouta sans l'interrompre, une lueur tendre dans ses yeux gris. Puis elle se pencha vers lui et murmura en lui embrassant le cou :

– Je t'ai dit que je ferai n'importe quoi pour toi. J'accepte, mais je ne suis pas sûre que cela marche. Et c'est ta vie qui est en jeu.

– Je n'ai pas le choix, dit Malko. Si tu fais exactement comme je te dis, j'aurai un sursis.

– D'accord, dit-elle. Même si je dois être expulsée de Birmanie. Mais s'il t'arrive quelque chose, je tuerai ce salaud de George moi-même.

– Nous n'en sommes pas encore là, soupira Malko.

– Profitons-en aujourd'hui, souffla Andrea à son oreille. J'avais un dîner, je vais le décommander. J'ai du foie gras dans mon réfrigérateur et une bouteille de Moet 85. Et j'ai encore envie de toi.

Le soir tombait doucement. Malko n'avait pas dormi au *Strand*, profitant d'Andrea toute la nuit. Peut-être sa dernière nuit. Il était peu sorti dans la journée, écœuré de pagodes et l'esprit trop occupé pour s'intéresser à quoi que ce soit. Le temps semblait s'être arrêté. Les dés étaient jetés. Son pistolet extra-plat reposait dans le fond du sac Shan, une balle dans le canon. Piètre défense contre ce qu'il avait à affronter.

Le téléphone grelotta, expédiant une brutale décharge d'adrénaline dans ses artères. Le général Latt était en avance... Il décrocha pour entendre la voix joviale de George Kearod!

– Vous m'avez posé un lapin hier, fit l'Américain. J'ai appelé votre hôtel, on m'a dit que vous étiez sorti...

– Oui, j'ai été faire un tour le long de la Rangoon River. Je me sens mieux. Heureusement, parce que j'ai un rendez-vous important tout à l'heure.

– Ah bon! fit George Kearod. Vous me raconterez demain. Vous venez déjeuner à la maison?

– Avec plaisir, accepta Malko.

Il raccrocha. Intellectuellement, il aurait bien voulu savoir comment les Birmans avaient retourné George Kearod. Maintenant, cela n'avait plus qu'une importance académique...

Une heure s'écoula. Puis le téléphone sonna à nouveau. Une voix de femme annonça :

– Quelqu'un vous attend en bas.

*
**

Hotshand Sabraj accueillit Andrea Meyer vêtu d'un longyi « bleu des mers du Sud », accroché bas sur sa taille, le torse à peine dissimulé par un gilet brodé qui laissait voir ses pectoraux. Ses grands yeux noirs dégoulinaient littéralement de désir. Il baisa la main de la jeune femme comme il avait appris à le faire à Oxford. Le coup de fil d'Andrea l'avait plongé dans un abîme de félicité et il avait décommandé un ambassadeur pour la recevoir.

– J'ai fait préparer quelques petites choses à manger, annonça-t-il. Venez.

Elle le suivit à l'intérieur. Un buffet somptueux avec plusieurs currys et une bouteille de Moet était disposé sur une table basse, directement en face de son lit, dans sa chambre meublée d'une façon inouïe : tout était en glaces. La tête de lit, les tables de nuit, la commode! Andrea voyait son image partout.

– Vous aimez? demanda Hotshand. Ça s'appelle « Taj Mahore » et je l'ai fait venir spécialement de chez Romeo à Paris.

Sans attendre la réponse, il la jeta sur le dessus-de-lit de satin ivoire, l'embrassant partout, suivant les courbes de son corps avidement, jusqu'à ses cuisses. Il s'étrangla presque de plaisir en trouvant les bas. Une chose inouïe pour un Hindou...

Andrea jeta un coup d'œil rapide au longyi de l'Indien déjà déformé par une bosse éloquente. En dépit des circonstances, cela la troublait un peu. Ses amies passées dans le lit du diplomate s'en étaient félicité... A peine eut-elle bu un jus de mangue qu'il se jeta de nouveau sur elle, la forçant à s'allonger sur le lit.

Il l'écrasa aussitôt de tout son poids et commença à bouger sur elle en murmurant des obscénités raffinées directement extraites du Kama-Soutra, tout en glissant une main aventureuse entre ses cuisses. Arrivé à la peau au-dessus des bas, il rugit littéralement, jusqu'à ce que ses doigts se crispent sur le nylon protégeant à peine le ventre de la jeune femme. C'était trop pour lui, il tira comme un fou, l'arrachant, le déchirant et sa main réapparut, le tenant comme un trophée.

– Hotshand, arrêtez! cria Andrea un peu dépassée par cette furia et en même temps émue.

Autant essayer d'arrêter une locomotive... Hotshand Sabraj se débarrassa de son gilet, découvrant ses larges épaules, torse rasé et huilé. Bel animal. Andrea ne put s'empêcher de ressentir un choc au creux de l'épigastre. Déjà, il revenait à la charge, relevant sa robe jusqu'au ventre...

Il n'eut pas à se débarrasser de son longyi : la pression de son érection le fit tomber de ses hanches et il apparut dans toute sa splendeur. Un sexe brun, très long, un peu recourbé.

– Regarde comme je te veux! gronda-t-il.

Andrea Meyer venait de jeter un coup d'œil à sa montre. Hotshand Sabraj, revenu sur elle, écarta ses cuisses encore gainées de bas d'un coup de genou. Il devait avoir l'habitude de ce genre de demi-viol, car, presque sans tâtonner, il plaça son sexe contre celui d'Andrea et poussa d'un coup de reins puissant qui le fit pénétrer d'un seul coup au fond du ventre de la jeune femme.

– Ah!

La jeune Allemande n'avait pu s'empêcher d'exhaler un profond soupir, furieuse contre elle-même. L'Indien l'envahissait, la faisant couler comme une fontaine. Ses jambes s'ouvrirent et pendant quelques secondes, elle ne lutta plus. Hotshand Sabraj se déchaîna, soufflant de bonheur, la prenant lentement et profondément, en tournant, puis à coups rapides qui amenèrent Andrea à l'orgasme. Elle cria, se détendit, les mains crispées dans les hanches du bel Indien.

Ce dernier était au Nirvana... Depuis des mois, il voulait Andrea, la plus belle femme de la colonie étrangère. Il avait bien l'intention de décliner avec elle tout le Kama-Soutra. Il retira de son ventre son érection intacte, luisante de secrétions de la jeune femme. Celle-ci savait par ses amies qu'il se contrôlait remarquablement bien et pouvait faire l'amour très, très longtemps... Debout près du lit, il la regarda, encore fou de désir. Une grosse veine battait le long de son sexe.

– J'ai envie de ta bouche depuis que je te connais, dit-il.

Andrea se releva. Mais, au lieu de s'agenouiller en face de lui, elle échappa à la main qui saisissait déjà sa nuque.

– Attends! lança-t-elle d'une voix encore troublée par le plaisir.

Elle plongea la main dans son sac et se retourna.

La mâchoire de Hotshand Sabraj manqua se décrocher : Andrea braquait sur lui un petit Beretta 9 mm à canon court.

– Qu'est-ce que tu fais? Qu'est-ce que...? balbutiat-il.

– Il faut que tu me rendes un service, dit Andrea d'une voix très douce.

– Quoi?

– J'ai besoin de ton bateau.

— De mon bateau!

A la lueur qui passa dans son regard, elle vit qu'il la croyait devenue folle. Et qu'il avait peur. Peu à peu, son érection triomphante retombait, comme un ballon dégonflé, le long de sa cuisse. Il parvint à dire :

— Mais qu'est-ce que tu veux faire avec mon bateau?

— Traverser le lac, fit-elle simplement. Aller chercher quelqu'un qui se trouve chez Aung San Suu-Kyi. Tout de suite.

L'Indien, machinalement, ramassa son longyi et le drapa autour de son sexe racorni, fixant le pistolet braqué sur son ventre.

— Mais c'est impossible! protesta-t-il. Tu sais bien que cette zone est interdite à la navigation. Nous allons nous faire tirer dessus... Et puis, tu penses aux conséquences...

Andrea ne se troubla pas. Son pouce ramena en arrière avec un claquement sec le chien extérieur du Beretta.

— Hotshand, dit-elle placidement, je ne te demande pas ton avis. Moi, je suis obligée d'y aller et tout de suite. Alors, comme je ne peux pas te laisser derrière moi, je te tire une balle dans la tête si tu refuses de m'accompagner. Tu as dix secondes pour prendre ta décision...

Le diplomate indien, médusé, regardait cette femme qu'il n'avait jamais croisée que dans des cocktails mondains, désirable, élégante et parfaitement bien élevée. Or, elle se conduisait comme une tueuse. Une lueur dans ses yeux lui faisait comprendre qu'elle ne bluffait pas. Sa voix lui parvint, comme dans un brouillard.

— De toute façon, Hotshand, pour toi, il n'y aura pas de conséquences graves. Au pire, tu seras déclaré « persona non grata » et expulsé. Cela vaut mieux que d'être rapatrié dans un cercueil.

Quelques secondes s'écoulèrent, des siècles pour Andrea qui trépignait intérieurement. Elle se savait incapable de conduire le bateau et ne savait même pas

où se trouvaient les clefs... Puis les épaules du diplomate s'affaissèrent brutalement. Il avait vu l'index
d'Andrea appuyer un peu sur la détente. Il était à un
dixième de millimètre de l'éternité. Alors, on a beau
croire à la réincarnation...

— Bon, bon, je viens, grommela-t-il.

Andrea fit un pas en avant et le canon de son arme
appuya sur le ventre nu de l'Indien qui eut un brusque
recul, mais la jeune femme se contenta de poser gentiment ses lèvres sur les siennes en disant :

— D'ailleurs, tu as déjà eu ta récompense... Plus rien
ne te retient à Rangoon.

Elle s'écarta, il prit des clefs dans un tiroir, puis passa
un survêtement de sport. Ils sortirent sur la pelouse. Le
lac Inya était d'un calme et d'un silence impression-
nants. Hotshand Sabraj se tourna vers Andrea qui avait
gardé son arme à la main.

— Qui es-tu ? Je te prenais pour une diplomate.

— Je suis diplomate, dit l'Allemande.

Ils arrivaient au bateau. Il enleva la bâche et sauta
dedans, suivi par la jeune femme.

— On va entendre le moteur, objecta-t-il.

— Cela ne fait rien, ils n'ont pas de bateau, tu le sais
bien.

L'angoisse lui nouait la gorge. Elle guettait des bruits
de coups de feu. Le ronronnement du moteur lui fit
l'effet d'un grondement de tonnerre. Le diplomate se
mit à la barre et lui glissa un coup d'œil.

— Tu es sûre que...

— Vas-y, fit-elle d'un ton sans réplique.

Devant elle, les eaux noires du lac Inya ne reflétaient
rien. Elle se demanda si ce n'était pas déjà trop tard.

***

Malko monta dans la jeep russe avec un petit serre-
ment de cœur. Il n'y avait que le chauffeur, un militaire
en kaki sans grade qui ne lui accorda pas un regard. Ils
filèrent à travers les rues désertes vers le nord. Seul

signe de vie, des ouvriers qui travaillaient à la réfection de la route. Malko se retourna. Personne. C'était saisissant de traverser cette ville morte, comme abandonnée...

Il essayait de ne penser à rien, de se concentrer sur les minutes qui allaient suivre.

Le croisement avec University Avenue arriva très vite. La jeep tourna à gauche et ses phares éclairèrent un barrage coupant University Avenue. La nuit, la circulation était interdite sur ce tronçon pour éviter toute infiltration suspecte. Le chauffeur de Malko échangea quelques mots avec un gradé qui écarta la chicane. Cent mètres plus loin, Malko aperçut les premières sentinelles. Son chauffeur ralentit. Encore trois postes. Sur la droite, il regarda le lumignon d'une boutique en train de fermer. Puis le museau de la jeep s'arrêta à quelques centimètres du portail de la résidence d'Aung. Des soldats l'entouraient déjà, G.3 au poing, nerveux et menaçants. Le chauffeur leur tendit un papier sans un mot et ils s'écartèrent.

L'un d'eux ouvrit un des battants, le refermant aussitôt derrière eux. Malko aperçut une tente installée près d'un banian et d'autres soldats. Déjà la jeep stoppait devant un perron. Il vit de la lumière.

Aung San Suu-Kyi savait-elle qu'il venait?

Il ouvrit la portière et sauta à terre. Le chauffeur éteignit le moteur de la jeep et le silence les enroba, menaçant.

La grosse Toyota personnelle du général Thiha Latt se trouvait arrêtée, tous phares éteints, à une centaine de mètres de l'entrée de la propriété d'Aung San Suu-Kyi, du côté opposé à celui par lequel arrivait Malko.

L'officier birman émit une sorte de soupir quand la jeep transportant Malko s'engouffra dans le portail de la recluse. Il se retourna vers l'arrière et lança à l'adresse de George Kearod :

– *Well done* (1).

L'Américain était partagé entre plusieurs sentiments. Le soulagement, l'excitation, la peur et une bonne dose de honte. Ce n'est jamais facile d'être un traître. Certes, il connaissait à peine Malko, mais cela filtrerait et il ne pourrait plus jamais soutenir le regard de Mike qu'il avait berné de façon éhontée.

– Vous êtes content, général? s'entendit-il croasser.

– Tout à fait, Mr. George. Vous méritez toute notre reconnaissance.

Il ne pouvait évidemment pas lui dire qu'une fois Malko arrêté dans la résidence d'Aung San Suu-Kyi, George Kearod y serait amené à son tour et abattu sur place. Cela conforterait la dénonciation du complot de la CIA visant à enlever la leader rebelle. Et puis, mort, George Kearod était bien moins dangereux que vivant. Son cadavre ferait d'excellentes photos qui complèteraient celles de Malko en compagnie d'Aung San Suu-Kyi... Le général se tourna vers son chauffeur.

– En avant!

Au moment où la voiture démarrait, il ramassa sur le plancher une Uzi et l'arma.

George Kearod se sentait très mal à l'idée de se retrouver face à Malko. Il n'aurait pas le loisir de lui expliquer comment sa vie avait basculé l'année précédente. Les gens du MIS avaient débarqué chez lui, après les événements. Très polis. Pour l'emmener au ministère de la Défense où on l'avait introduit chez le général Thiha Latt. Celui-ci avait étalé plusieurs photos. Des étudiants de l'opposition entrant et sortant de chez George Kearod. L'un d'eux dissimulait maladroitement un fusil d'assaut dans une natte roulée. L'officier n'avait même pas élevé la voix pour annoncer :

– Mr. Kearod, nous connaissons votre appartenance à la CIA depuis longtemps. Cela ne nous gênait pas.

_____

(1) Bien joué.

Maintenant, vous vous êtes ingéré d'une façon inadmissible dans nos affaires nationales en soutenant un complot communiste. Donc, vous allez passer en jugement. A l'issue de la peine à laquelle vous serez condamné – probablement dix ans de prison – vous serez expulsé de Birmanie.

George Kearod avait senti le sol se dérober sous lui. La Birmanie, c'était sa vie. Depuis vingt ans. Le seul pays où il ait des attaches, un moyen de gagner confortablement sa vie avec de petites combines, des filles jeunes comme il les aimait. Les mille dollars par mois, alloués par la CIA, lui permettaient grâce au marché noir de vivre presque luxueusement. Ailleurs, il aurait végété. C'était un marginal qui avait trouvé son équilibre en Asie. Ailleurs, il se sentait comme un grand myope privé de ses lunettes. On ne lui avait pas laissé placer un mot, l'emmenant tout de suite dans une cellule au sous-sol du ministère de la Défense. Où il avait croupi trois jours. Pour voir apparaître ensuite une vieille connaissance, l'actrice May Sein, avec qui il couchait de temps à autre. Il n'en avait pas été trop surpris, sachant qu'elle était aussi la maîtresse du général. Elle lui avait apporté des cigarettes, s'était montrée gentille et préoccupée.

– Tu as été très imprudent, avait-elle dit. J'ai parlé en ta faveur au général. Il voudrait bien t'aider, mais il a des comptes à rendre à Ne Win.

May Sein l'avait longuement consolé, expliquant pour finir :

– Il y aurait peut-être une solution : que tu rendes un grand service au général. Dans ce cas, il pourrait passer l'éponge...

Voilà comment on devenait un traître. Au bout de huit jours, George était retourné chez lui. Seule Myunt Myunt savait qu'il avait été arrêté. Le MIS lui avait promis qu'elle serait fusillée si elle parlait. Depuis, George obéissait au doigt et à l'œil aux ordres du général. Attendant la fin du cauchemar.

Il y arrivait.

La Toyota du général Latt stoppa brutalement devant le disque rouge barrant le portail d'Aung San Suu-Kyi. Le gyrophare bleu éclaira trois silhouettes en uniforme à droite du portail. Le général sortit de sa voiture, braqua son Uzi sur eux et appuya sur la détente, lâchant de courtes rafales.

Les trois hommes s'écroulèrent et il termina son chargeur en leur tirant à chacun une balle dans la tête. Ce n'étaient pas des soldats, mais des prisonniers politiques déguisés pour la circonstance. Leurs G.3 étaient vides. Leurs corps apporteraient une preuve supplémentaire de la sauvagerie de la CIA.

La cassette remise par Sandy Nwe apporterait une preuve supplémentaire de la « dépravation » des amis d'Aung San Suu-Kyi. Cela ferait très bon effet sur le tribunal militaire...

Tous les projecteurs du jardin de la résidence s'allumèrent en même temps. La rafale d'Uzi était le signal de l'halali.

Un seul impératif : prendre l'espion de la CIA vivant.

**
*

Malko monta le perron, une main sur le sac Shan contenant son pistolet. Il poussa la porte, débouchant dans un petit hall mal éclairé, referma et appela.

– Aung San Suu-Kyi?

La porte du salon s'ouvrit presque aussitôt sur une grande jeune femme en costume traditionnel, les cheveux tirés, le visage grave. Sans préambule, elle lança à Malko :

– Je sais qui vous êtes! Partez vite, je vous en prie! Vous êtes tombé dans un piège.

Malko n'eut pas le temps de répondre. Des projecteurs venaient de s'allumer dans le jardin, illuminant violemment la maison et la voix d'un haut-parleur hurlait en anglais :

– Sortez! Espion impérialiste!

Aung San Suu-Kyi demeura figée, les traits crispés par l'angoisse. Malko, lui, plongea dans le couloir, aboutissant à un escalier qui descendait à un sous-sol donnant sur le jardin, derrière la maison. Il poussa une porte, débouchant dans une zone non éclairée. Il grimpa les marches et fonça vers le bord du lac. A peine avait-il parcouru dix mètres qu'une silhouette se dressa devant lui, jetant un mot birman qu'il ne comprit pas.

Un soldat.

Il avait déjà arraché son pistolet extra-plat de son sac. D'un geste automatique, il visa et tira. La silhouette s'effaça comme à un stand de foire. Il enjamba le corps et courut jusqu'à la berge. Maintenant, il était vraiment le dos au mur. Ses pieds glissèrent dans la vase et il regarda l'eau noire du lac Inya.

Personne. Pas la moindre embarcation! Des cris éclatèrent derrière lui. Toute la maison était illuminée, des soldats couraient partout en s'interpellant. S'il se sauvait à la nage, il serait repris, la zone étant cernée. Revenir en arrière, c'était se jeter dans les bras de ses ennemis.

Il se retourna. Des soldats fouillaient les abords de la maison avec des torches électriques. Il avança, le désespoir au cœur, jusqu'à ce qu'il ait de l'eau jusqu'à la taille. Où était Andrea Meyer?

CHAPITRE XIV

Hotshand Sabraj appuyait désespérément sur le démarreur sans parvenir à faire repartir le moteur hors-bord. Andrea, les lèvres serrées, ses doigts crispés sur la crosse du Beretta, essayait de dominer sa panique.

– Si tu me fais ce coup-là, grommela-t-elle, je te tue.

Quelques secondes plus tôt, des coups de feu avaient éclaté dans le jardin de la résidence d'Aung San Suu-Kyi, puis des projecteurs avaient troué la nuit. Andrea et Hotshand Sabraj avaient atteint la berge marécageuse à 500 mètres de leur but un quart d'heure plus tôt et stoppé le moteur pour ne pas être repérés. Tout à coup le moteur rugit! Le diplomate indien se redressa, hâve, en sueur, terrorisé. Andrea le poussa brutalement et prit la barre. Fonçant dans la direction des coups de feu.

Quelques instants plus tard, elle faillit heurter la tête de Malko avec son étrave. Il s'était mis à nager en entendant le moteur. Hotshand Sabraj l'aida à se hisser sur le bateau et poussa une exclamation de surprise en le reconnaissant.

– Couchez-vous, cria Malko, donnant l'exemple.

Il était temps, les lueurs des coups de feu se succédaient, venant de la rive. Heureusement que les Birmans visaient mal... Enfin, ils purent bénéficier de la protection d'une avancée de terre. Andrea reprit les commandes et le canot fila droit à travers le lac Inya. Le diplomate indien se redressa, bégayant de rage.

— Vous vous rendez compte! Nous aurions pu être tués. Ils vont retrouver mon bateau. Je vais être expulsé...

Andrea lui coupa la parole.

— Vous m'avez toujours affirmé que vous détestiez ce pays... Je vous conseille de prétendre que vous étiez couché, que vous ne savez rien.

Hotshand Sabraj se tut et ils continuèrent à foncer sur le lac désert, jusqu'à son ponton. Ils coururent le temps de traverser la pelouse et la maison. Andrea et Malko bondirent dans la Mercedes. La jeune femme se retourna pour crier.

— Hotshand, souvenez-vous! Vous dormiez.

Elle démarra sur les chapeaux de roue. Malko inquiet, remarqua :

— Il va y avoir des barrages...

— J'ai une plaque et un laissez-passer diplomatique, répliqua la jeune femme.

Effectivement, des soldats en faction près d'une chicane les arrêtèrent un peu plus loin. Andrea Meyer exhiba aussitôt sa carte de diplomate et ils la laissèrent repartir.

— Dans cinq minutes, nous serons chez moi, dit-elle, jetant un coup d'œil aux vêtements trempés de Malko.

Son odyssée ne faisait que commencer. Il essaya de se vider le cerveau pour ne pas penser à l'avenir tandis qu'Andrea se faufilait par des petites routes pour éviter d'éventuels barrages.

Le général Thiha Latt contemplait les quatre cadavres côte à côte, l'estomac noué par la rage. Trois faux soldats abattus de ses mains et un vrai par le fugitif.

Jamais il n'aurait pensé que son plan échoue. Ce qui décuplait sa fureur, c'était de se dire que l'agent de la

CIA avait réussi à monter une contre-manip, pratiquement sous son nez. Mais avec qui? C'était le point noir.
Jack Mankoff, le chef de station de la CIA, était
surveillé jour et nuit, ses communications aussi. Il
n'était pas mêlé à cela. Il était évident que Malko avait
pris contact avec la Résistance, mais les rebelles
n'avaient pas les moyens de l'aider. Ils n'avaient pas de
bateaux.

Donc, le MIS avait une connaissance incomplète des
réseaux américains à Rangoon. Grave faute profession-
nelle. Il se retourna vers George Kearod, transformé en
statue de sel, terrifié.

– Que s'est-il passé? demanda-t-il, glacial.

Le traître de la CIA avala sa salive et bredouilla :

– Je ne sais pas, mon général, j'avais l'impression
qu'il ne se doutait de rien, je lui ai encore parlé
aujourd'hui.

– Qui peut l'avoir aidé?

Toute honte bue, George Kearod qui voulait à tout
prix sauver sa peau dit à voix basse :

– Il y a une femme, une Allemande qui travaille à
l'ambassade américaine un peu pour la CIA. Andrea
Meyer. Il l'a rencontrée à plusieurs reprises.

L'officier birman le foudroya du regard.

– Pourquoi ne m'avoir jamais parlé de cette
femme?

– Je pensais que vous étiez au courant et vous ne me
l'aviez pas demandé, protesta George Kearod.

Il crut que l'officier birman allait le gifler, mais
l'autre se contenta de lancer d'une voix blanche :

– Cet homme ne doit pas réussir à quitter la Birmanie. C'est impératif. Il faut que vous m'aidiez à le
retrouver. Sinon...

Il laissa sa phrase en suspens, mais George Kearod
sentit une coulée glaciale descendre le long de sa
colonne vertébrale. Le général Thiha Latt était bouddhiste, certes, ce qui interdisait de tuer les êtres vivants.
Mais pas de les torturer. Il connaissait certaines histoires qui avaient sûrement un fond de vérité. Ce n'était

pas drôle de jouer au démineur, avec les yeux crevés...
Pour sauver sa peau, il fallait qu'il retrouve Malko.

Malko sentit les battements de son cœur se calmer
lorsque la voiture d'Andrea franchit la grille de sa
maison. Un silence de plomb, comme une chape noire,
régnait sur Rangoon. Dès qu'ils furent à l'intérieur,
Malko se débarrassa de ses vêtements mouillés et alla
prendre une douche.

Le répit qu'il avait risquait d'être très provisoire... Le
général Latt allait tout faire pour remettre la main sur
lui... Il ne pouvait se cacher indéfiniment dans la
maison d'Andrea, d'autant que son mari allait revenir.
Il avait abattu un soldat de l'armée birmane et cela,
c'était l'incident diplomatique à coup sûr...

Quand il sortit de la douche, Andrea l'attendait avec
un verre de Stolychnaya et un peignoir éponge.

— Viens te détendre, dit-elle. Ensuite, il faudra que je
prépare mon rapport pour Jack Mankoff; ce qui s'est
passé ce soir va faire des vagues...

C'était un euphémisme...

Malko la suivit dans la chambre. Comme chaque fois
qu'il avait risqué sa vie, il éprouvait une furieuse envie
de faire l'amour. Il se vida le cerveau. Ne vivant plus
qu'à travers son sexe cajolé, léché, caressé, par une
femelle qui se frottait contre lui en égrenant un délicieux chapelet d'obscénités. Andrea était une vraie
femelle, avide de lui donner du plaisir et il se sentait
d'humeur égoïste.

Alors qu'elle l'avait dans sa bouche, agenouillée en
bonne vestale, il s'en arracha, la fit pivoter et la prit aux
hanches.

D'un seul et violent coup de reins, il s'enfonça dans
son ventre jusqu'à la garde. Il avait touché juste.
Andrea releva encore sa croupe comme pour donner
plus de prise à Malko, et son torse s'aplatit au contraire
contre le drap. Les bras étendus devant elle, les mains

crispées sur les draps, elle se faisait couvrir comme une chatte en chaleur. Avec les mêmes ronronnements extasiés.

— Plus fort! dit-elle.

Malko sortit complètement, glissa un peu vers le haut, et sans crier gare, s'engloutit dans l'ouverture de ses reins. Une seconde de résistance, un cri aigu et il se retrouva collé à ses fesses, enfoncé jusqu'à la garde dans un étroit fourreau. Andrea tremblait de tous ses membres, une brusque sueur collait ses cheveux à sa nuque. Malko demeura un moment abuté en elle.

— Tu aimes? murmura-t-il à son oreille.

Elle tourna à demi la tête pour qu'il voie l'expression trouble et avide de ses yeux gris.

— *Das is wunderbar.*

Elle avait un peu écarté les genoux, lui permettant de la prendre encore plus profondément. Ce qu'il fit, avec une lenteur calculée. Arc-boutée à la tête du lit, Andrea poussait un sourd gémissement chaque fois, que, presque ressorti, il revenait de toute sa puissance. Elle se mit à délirer, encourageant Malko, faisant onduler sa croupe, venant à sa rencontre, les doigts crissant sur les draps.

Malko encore sous le coup de la tension nerveuse n'arrivait plus à jouir, et Andrea ne s'en plaignait pas...

— *Ach!* lâcha-t-elle d'une voix rauque, j'ai l'impression que tu m'ouvres en deux.

Lui était dans un état second. Il se retirait et se laissait retomber sur les fesses rondes et fermes, la sodomisant aussi loin qu'il le pouvait. Discrètement, une des mains de la jeune femme fila sous son ventre et le ton de ses plaintes se modifia... Dans une poussée sauvage, un ultime coup de boutoir, Malko sentit la semence monter de ses reins... Andrea prévenue par ses terminaisons nerveuses poussa une sorte de vagissement et s'aplatit tout à coup sur le drap, secouée de tressautements, puis ne bougea plus. Jusqu'à ce qu'elle murmure d'une voix changée :

– Je commence à comprendre ce qu'éprouvent les petits Birmans sodomisés par mon mari. Si c'est aussi bon qu'avec toi.

Elle se retourna, s'étirant comme une chatte heureuse, ses yeux gris illuminés de joie, le membre de Malko encore fiché dans ses reins.

– Dieu, que c'est bon, soupira-t-il.

Il revoyait la tache rouge sur le visage du soldat qu'il avait dû abattre. Lui ne sentait plus rien. C'était la vie. Une parenthèse de courte durée... Au moment où il s'arrachait d'elle, le téléphone sonna. Andrea alla répondre, mit la main devant l'écouteur et dit à voix basse : « C'est George Kearod. »

– George, vous êtes à Rangoon? Que se passe-t-il? demanda-t-elle d'une voix pratiquement normale. J'étais en train de m'endormir.

Elle avait mis le haut-parleur et Malko entendit la réponse.

– Vous n'avez pas entendu des coups de feu?

– Non. Pourquoi?

– Heu, je ne peux pas vous en parler au téléphone, je pourrais passer?

– Mais il y a le couvre-feu...

– Tant pis, ils me connaissent, je me débrouillerai.

Andrea interrogea Malko du regard et il fit « oui » de la tête.

– Si vous voulez, mais pas longtemps, répondit-elle.

A peine eut-elle raccroché que Malko explosa.

– Ce salaud vient aux nouvelles! Il veut savoir où je suis. Que vas-tu lui dire?

– Rien, je ne t'ai pas vu. Reste ici, je vais passer un jeans.

Elle disparut et quelques instants plus tard, Malko entendit la sonnette.

*
**

George Kearod se glissa dans l'entrebâillement de la porte, l'air affolé.

– Je suis inquiet pour Malko Linge, dit-il. Il n'est pas à son hôtel et il avait rendez-vous ce soir chez Aung San Suu-Kyi...

– Vous êtes fou, c'est impossible! protesta Andrea.

– Si, affirma l'Américain, c'est moi qui avais arrangé le rendez-vous. Grâce à des contacts avec la Résistance, mais j'ai peur que cela se soit mal passé...

– Il a peut-être été arrêté, suggéra Andrea.

– Ou alors, il est en fuite, enchaîna George Kearod, et il va se faire prendre. Il faudrait l'aider.

Andrea alluma une cigarette.

– Mais pourquoi m'avez-vous téléphoné?

– Mike Roberts, à Bangkok, m'a dit que vous étiez son contact ici.

– Il a peut-être été recueilli par des résistants.

– Ouais, c'est possible.

Il semblait hésitant, mal à l'aise. Andrea bâilla ostensiblement.

– Nous ne pouvons rien faire, conclut-elle. Si j'ai du nouveau, je vous préviendrai. Faites de même.

A regret, George Kearod se retira. Andrea ferma derrière lui à double tour et alla retrouver Malko.

– Ce salaud te cherche, dit-elle. Il est de mèche avec les Birmans. Je vais câbler à Bangkok et prévenir Jack Mankoff.

– Et après?

– Il va être obligé de faire quelque chose, dit Andrea, quand il saura que tu es ici.

Malko préféra ne pas la décourager. Le chef de station ne lèverait pas le petit doigt. Pour l'instant, il avait surtout besoin de récupérer : l'avenir allait réclamer toute son énergie.

***
***

Malko se réveilla en sursaut : Andrea était penchée sur lui, le visage soucieux.

– Viens voir, dit-elle.

Elle l'emmena à une fenêtre d'où on découvrait le chemin débouchant sur la grande place. Juste à l'entrée, il aperçut l'échoppe d'un marchand de brochettes, spectacle courant à Rangoon.

– Il n'y a jamais personne à cet endroit, expliqua Andrea Meyer. C'est une des méthodes favorites du MIS pour surveiller les maisons suspectes. Ils ont déjà fait le coup à l'ambassadeur.

L'étau se resserrait... Evidemment, la maison des Meyer étant protégée par l'immunité diplomatique, les Birmans ne pouvaient venir s'emparer de Malko. Mais depuis les déboires du général Noriega à Panama, tout le monde savait que ce genre d'aventure se terminait mal...

– Repose-toi, dit Andrea, je vais à l'ambassade voir Jack Mankoff.

***
***

Andrea Meyer revint un peu avant une heure, le visage sombre. Elle jeta son sac sur la table basse à côté du bow-window et dit d'une voix pleine d'amertume :

– Jack ne veut rien faire. Il prétend qu'il n'en a pas les moyens. Quant à Mike Roberts, il s'est fait taper sur les doigts pour t'avoir envoyé ici sans s'assurer d'une exfiltration possible. En plus, je suis convoquée par l'ambassadeur à trois heures.

Rien que des bonnes nouvelles. Malko eut du mal à ne pas flancher. La CIA, protégeant ses intérêts globaux, le laissait froidement tomber. Le condamnant à coup sûr.

CHAPITRE XV

Le bruit de la Mercedes 190 d'Andrea Meyer arrivant dans le jardin arracha Malko à ses pensées moroses. La jeune femme, obligée de se rendre à l'ambassade US, l'avait laissé seul dans la maison, où il avait tué le temps en regardant un vieux film sur le magnétoscope Samsung d'Andrea. En face du chemin, le « restaurant » en plein air fonctionnait toujours, avec ses guetteurs. Lui rappelant que les Birmans ne lâchaient pas prise.

Il alla au-devant de la jeune femme qui arborait un visage encore plus soucieux que le matin.

Elle posa son sac dans l'entrée et se jeta dans ses bras.

– J'ai de très mauvaises nouvelles, murmura-t-elle à son oreille.

La situation pouvait difficilement être pire.

– Notre ambassadeur a été convoqué ce matin au ministère des Affaires étrangères. Les Birmans ont élevé une protestation solennelle à la suite de l'incident d'hier soir. Ils prétendent qu'un agent de la CIA a tué quatre soldats en tentant de faire évader *Daw* Suu-Kyi. Et qu'il s'est réfugié ensuite chez une diplomate de l'ambassade travaillant aussi pour la CIA. Ils ont donné mon nom. L'ambassadeur m'a demandé si c'était exact. Je lui ai répondu que tu étais effectivement chez moi. Or, les Birmans menacent de perquisitionner...

– Ils n'en ont pas le droit.

– Nous ne sommes pas dans un Etat de droit... Le State Department a donné des instructions très précises pour qu'il n'y ait pas d'incident avec le gouvernement birman actuel.

« L'ambassadeur a donc accepté d'accompagner demain un haut fonctionnaire du ministère des Affaires étrangères qui viendra s'assurer que je ne cache personne. Ainsi, notre ambassadeur pourra, à son tour, élever une protestation solennelle contre les accusations birmanes, avec le soutien de tout le corps diplomatique.

Quelques beaux ronds de jambe en perspective.

Malko étouffait de rage. Les diplomates étaient vraiment tous pareils, avec le même drapeau : « pas de vagues ».

– Donc, je dois être parti demain.

Malko entendit à peine le « oui » honteux d'Andrea Meyer.

– Jack Mankoff est au courant. Il est catastrophé, affirma la jeune femme. Il m'a juré qu'il était persuadé que Mike Roberts avait prévu une exfiltration. Bangkok lui a telexé de faire tout ce qu'il pouvait pour t'aider, sans prendre de front l'ambassadeur. J'ai vu le telex. Ils sont terrifiés à l'idée que tu puisses tomber vivant aux mains des Birmans.

– Le mieux serait donc que je me tire une balle dans la tête, suggéra froidement Malko.

Andrea lui jeta un regard affolé, se demandant s'il parlait sérieusement.

– Ne dis pas de bêtises, dit-elle.

Malko l'entraîna sur le canapé, en face du bow-window. Sa fureur retombée, il reprenait la situation en mains.

– C'est le jeu, Andrea, dit-il. Je suis un combattant de l'ombre, je connais les risques que je prends. Si je réussis, il n'y a pas de mots assez élogieux, si j'échoue, personne ne me connaît plus... Je sais que Mike Roberts doit être bouleversé mais même lui ne peut aller contre les consignes *générales* de Langley. Un contractuel comme moi est renié en cas de pépin. Je n'existe plus. Souviens-toi de Richard Sorge, l'espion soviétique tombé aux mains des Japonais. Il avait rendu des services inouïs au Kremlin : entre autres donné le plan d'invasion de la Russie, en 1941... Les Japonais l'avaient condamné à mort, mais l'auraient bien échangé. C'était la fin de la guerre... Eh bien, il a reçu la visite dans sa cellule d'un envoyé personnel de Staline qui lui a dit : « Camarade Sorge, le Camarade Staline t'envoie l'assurance de son amitié. Nous ne pouvons plus rien pour toi. Je suis chargé de te transmettre les remerciements du Soviet Suprême. Adieu. » Et Richard Sorge a été fusillé en 45. Depuis, il a été fait héros de l'Union Soviétique, et un timbre a été émis à son effigie. Le tout à titre posthume...

Andrea Meyer avait les larmes aux yeux.

– Mais alors...

– Je n'ai pas envie de mourir, fit Malko avec un sourire froid. Dès qu'il fera nuit, tu vas essayer de me faire sortir d'ici, caché dans le coffre de ta voiture.

– Mais ensuite ?

– Je vais demander secours au vieux bonze, Red Eagle. Il dispose d'un réseau logistique important. Il doit pouvoir m'exfiltrer de Birmanie.

– Mais comment saurai-je si tu as encore besoin de moi ? demanda anxieusement Andrea.

– Sois en éveil. Les étudiants et les bonzes utilisent des gamins. Si tu es approché par quelqu'un sans raison apparente, suis-le. Maintenant, il faut nous organiser.

*
**

Andrea Meyer sortit de chez elle vers sept heures. Certaine que son téléphone était sur écoute, elle avait confirmé de cette façon un dîner chez un collègue australien. Malko, profitant de l'obscurité, avait pris place dans le coffre de la Mercedes. Avec une lampe électrique et son arme. Avant de partir, lui et Andrea avaient encore fait l'amour, furieusement, sans un mot, uniquement à la recherche de leur plaisir.

Andrea demeura quelques secondes sous son porche éclairé, afin qu'on voie bien qu'elle était seule, puis gagna sa voiture, le cœur battant. A peine eut-elle débouché sur la place qu'un homme accroupi à côté du marchand de brochettes se leva, sauta sur une petite moto et se mit à la suivre. Un mouchard.

– *Schweinerei!* murmura la jeune femme entre ses dents.

Au lieu de se diriger vers la pagode Shwedagon, elle prit la direction du nord, vers la résidence du diplomate chez qui elle devait dîner. La moto collait à sa voiture, et la circulation était trop fluide pour le semer... Or il était hors de question de l'emmener là où Malko allait...

Tout en conduisant, Andrea cherchait désespérément une idée. Elle remonta Zoological Gardens Street, longeant le ministère de la Défense, puis tourna à gauche dans Uhtaung Bo Street, puis encore à gauche dans Shwedagon Pagoda Road, redescendant vers le sud. L'avenue en pente était coupée par un feu, au croisement de Simpson Road.

Le feu était au vert.

Andrea vérifia dans son rétroviseur que le motard était à quelques mètres derrière elle. Puis brutalement, elle écrasa le frein, comme si le feu était au rouge, s'arc-boutant sur son volant...

Une fraction de seconde plus tard, elle entendit le couinement strident d'un coup de frein, puis un choc violent ébranla la Mercedes : le motard qui la suivait venait de s'écraser sur le pare-chocs arrière! Il fut projeté sur le coffre, heurta la glace de custode et retomba à terre, tandis que sa machine allait se disloquer contre un lampadaire...

Andrea ne put s'empêcher de lâcher un rire nerveux. Son mari allait être furieux, mais tant pis. Elle redémarra et tourna aussitôt à gauche, remontant d'où elle venait. Le motard était en train de se relever, groggy et impuissant.

**
*

La rue qui partait de la pagode Shwedagon vers le nord, animée le jour, était presque déserte, les boutiques de bondieuseries fermant tôt. Andrea ouvrit le coffre de la Mercedes après avoir garé la voiture à côté d'un campement de squatters en pleine démolition. La zone boisée commençait sur la droite, tout de suite après les maisons. Un labyrinthe de jungle et de vieilles demeures démolies et abandonnées.

C'est là que se trouvait l'entrée du puits relié au dédale des tunnels utilisés par les étudiants.

Malko s'extirpa du coffre, et elle lui donna l'explication du choc qui l'avait secoué.

– Bravo! fit-il, en l'étreignant.

Elle n'arrivait pas à se détacher de lui... Il dut l'écarter à regret. A tout instant, le danger pouvait surgir. Il n'était plus le bras séculier de la CIA, mais un homme traqué avec tous les Services birmans à ses trousses. Andrea le regarda disparaître entre deux maisons et s'enfoncer dans la végétation.

**
*

Malko mit une dizaine de minutes à retrouver le puits. Il s'y glissa, pris à la gorge par l'odeur de pourriture.

Qu'allait-il trouver au bout?

Rien ne lui disait que ce réseau était encore en service. Il progressa lentement, franchissant plusieurs croisements, se guidant grâce à une boussole montée dans le manche de sa torche électrique. Quand il arriva dans la petite salle d'où partait le puits menant à la pièce où il avait vu les trois bonzes, il poussa un soupir de soulagement.

Il monta l'échelle et souleva la trappe lentement et avec précaution.

La première chose qu'il vit fut un bonze brandissant un énorme bâton, prêt à l'assommer!

Il baissa son gourdin en voyant un étranger, le contemplant, visiblement stupéfait.

– *Red Eagle!* dit Malko.

Sa prononciation devait être défectueuse car il dut s'y reprendre à trois fois avant d'observer une lueur de compréhension dans le regard de son interlocuteur... Il y eut un bref conciliabule entre les trois jeunes bonzes. Puis, finalement, l'un d'eux ouvrit la porte qu'il avait déjà franchie une fois et le guida à travers le couloir vers la pièce où il avait rencontré le vieux bonze trois jours plus tôt.

Red Eagle n'était pas là.

Il y avait juste sa natte et plusieurs livres au pied d'un autel de prières. Par signes, les bonzes lui firent comprendre de s'installer sur une natte. On lui apporta un bol de riz, du poisson séché qui puait à un kilomètre et une mangue. Un repas de roi. Bien qu'il eût l'estomac plein, Malko se força à manger et eut droit à un thé noir sans sucre. Un des bonzes avait disparu. Les deux autres s'allongèrent sur des nattes, la tête calée sur un oreiller de bois. Malko en fit autant et sa fatigue nerveuse était telle qu'il s'endormit sans même s'en rendre compte.

Il se réveilla en sursaut. Un bonze le secouait respectueusement par l'épaule. Red Eagle se tenait devant lui, impassible, dans sa tenue orange. Il tendit la main à Malko.

– Je ne m'attendais pas à vous revoir, fit-il simplement. Que se passe-t-il?

– Ce que vous disiez s'est hélas vérifié, dit Malko.

Il lui raconta dans le détail tous les événements depuis leur rencontre. *Red Eagle* écoutait, les paupières baissées. Si immobile que Malko pensa presque qu'il s'était endormi. Mais lorsqu'il lui demanda de l'aider à sortir de Birmanie, son regard magnétique se posa sur lui, réprobateur.

— Vous pouvez rester ici le temps que vous voudrez en partageant notre vie, mais je ne peux rien faire de plus. Vous êtes un *Kala-pyu* trop facilement repérable. Il m'est impossible de risquer la vie de gens dévoués à la légère. Vous auriez dû m'écouter la dernière fois. Il était encore temps.

Il parlait sans rancœur, comme un père. Les trois bonzes buvaient ses paroles, bien qu'ils n'en comprissent pas un traître mot.

Malko était en train de digérer sa nouvelle déception. Son dernier espoir s'écroulait. Il se voyait mal transformé en troglodyte. C'est *Red Eagle* lui-même qui lui redonna une lueur d'espoir.

— Peut-être que *Daw* You-Yi peut vous aider, suggéra-t-il.

— Peut-être en effet, renchérit Malko, s'abstenant de préciser qu'elle avait déjà refusé. Vous savez où elle se trouve?

Red Eagle marqua une imperceptible hésitation avant de répondre.

— Très près d'ici.

— Je pourrais la rencontrer?

— Si elle le désire...

Il s'adressa en birman à un de ses disciples et ce dernier disparut dans le couloir. Un des bonzes s'était mis à psalmodier une prière, d'une voix aiguë. L'atmosphère était irréelle. Malko avait l'impression de se trouver au fond d'une pyramide égyptienne. Il entendit à peine arriver You-Yi. Elle portait un longyi jaune et un haut boutonné, taché; ses traits étaient tirés et son regard mort. Il se posa sur Malko avec une froideur d'iceberg.

— Que faites-vous ici?

De nouveau, il raconta son histoire. You-Yi l'écoutait à peine. Visiblement, ce qui arrivait à Malko était le cadet de ses soucis. Elle ne réagit que lorsqu'il mentionna sa rencontre éclair avec Aung San Suu-Kyi, puis son regard s'éteignit à nouveau.

– C'est une grande imprudence d'être revenu ici, reprocha-t-elle. Vous auriez pu être suivi.

– Je ne l'ai pas été, dit Malko, qui finissait par être agacé. Je vous rappelle quand même que si je suis venu en Birmanie, c'était pour vous aider, vous et votre mouvement. Je ne suis en rien responsable de la trahison de votre ami Yé-Wé. Ni même de celle de George Kearod. Ce sont des choses qui arrivent.

Sa fureur contenue sembla émouvoir You-Yi. Les bonzes s'étaient abîmés dans leurs prières et ils avaient l'impression d'être seuls. Les traits de la jeune étudiante se radoucirent imperceptiblement et elle dit :

– Il faut me pardonner. J'ai de lourdes responsabilités. Et cette affaire a tourné à la catastrophe, même si ce n'est pas de votre faute. Je viens aujourd'hui d'avoir une très mauvaise nouvelle.

– Laquelle?

– Nous avons eu la confirmation que le frère de Yé-Wé, Tim-Yo se trouve bien à la prison d'Insein. Il a pu correspondre avec nous. Confirmant qu'ils sont tombés dans une embuscade à la frontière avec la Thaïlande. Ils ont été trahis.

– Par qui?

– Probablement par *Ulé* George. Il les a emmenés dans un endroit soi-disant sûr en Thaïlande, qui se trouvait en réalité en Birmanie. Tim-Yo pense qu'il a fait cela pour donner le temps aux Rangers lancés à leur poursuite de les rattraper.

– Et Yé-Wé? Pourquoi a-t-il changé de camp?

Un voile de tristesse passa dans les yeux noirs de You-Yi.

– Pour sauver son frère. Les Rangers ont tué Kyaw Zaw et Ma Don et ils allaient en faire autant pour Tim-Yo. Yé-Wé a accepté de collaborer et ils ont gardé Tim-Yo en otage... Maintenant que la manipulation du général Thiha Latt a échoué, il ne leur sert plus à rien. Il va être transféré au centre d'interrogatoire de Mingaladon, d'où on ne ressort jamais... Ils vont le torturer et l'abattre ensuite.

Tout cela à cause de la CIA. Malko en était malade, oubliant son propre sort.

— C'est terrible, dit-il.

— Pour notre mouvement, c'est une catastrophe, renchérit You-Yi. Tim-Yo a été formé chez les Karens pour les armes et les explosifs. Il aurait pu en former d'autres.

Un silence pesant retomba. You-Yi semblait plongée dans une méditation profonde. Soudain, elle leva la tête vers Malko.

— J'ai quelque chose à vous demander, annonça-t-elle.

— Quoi?

— Aidez-nous à faire évader Tim-Yo avant qu'on ne le transfère à Mingaladon.

Malko refoula un mélange de stupéfaction et de fureur. Il était seul, traqué, et on lui réclamait encore un miracle.

— Vous ne pouvez pas le faire vous-même? ne put-il s'empêcher de dire. Vous avez des armes, vous connaissez le pays...

You-Yi resta de glace.

— Nous ne savons pas faire ce genre de choses, avoua-t-elle. Il nous manque une formation militaire. Si nous essayons seuls, nous nous ferons massacrer. Vous, c'est votre métier.

On ne prête qu'aux riches.

De nouveau, le silence. Puis You-Yi annonça de sa voix douce :

— Si vous nous aidez à faire évader Tim-Yo, lui vous fera sortir de Birmanie. Il connaît une filière sûre. D'ailleurs, il partira avec vous, c'est trop dangereux pour lui de rester ici.

La carotte après le bâton... Devant le scepticisme de Malko, la jeune étudiante ajouta :

— Je m'y engage pour lui. C'est moi qui dirige ce mouvement maintenant.

Malko était atterré. Il avait l'impression de s'enfoncer dans une spirale diabolique. Pour s'exfiltrer, il était amené à faire des choses de plus en plus risquées. La proposition de You-Yi était folle. Seulement, d'un autre côté, il était acculé. Impossible de passer les dix prochaines années dans les entrailles d'une pagode sous la protection d'un bonze pacifiste.

— Vous disposez de véhicules? demanda-t-il.

— Non, dit You-Yi. Il faut que vous en trouviez un.

Elle s'exprimait comme si Malko avait déjà accepté. Or, sans véhicule pour s'enfuir, où que soit la prison, c'était un suicide collectif... Il pensa soudain à une solution possible. Son regard croisa celui de You-Yi posé sur lui avec une intensité presque douloureuse. Il réalisa qu'elle avait jeté son offre sans y croire, pour l'éconduire, mais que devant sa réaction, elle reprenait espoir.

— Je voudrais vous poser quelques questions avant de vous répondre, dit-il. Vous avez un moyen de communiquer avec Tim-Yo?

— Oui, grâce à un gardien que nous avons acheté. Il lui fait passer un peu de nourriture et des messages.

— Combien avez-vous d'armes?

— Deux fusils d'assaut G.3 et un pistolet.

— Des munitions?

— Sept chargeurs pour les G.3, un pour le pistolet. Nous avons des grenades aussi.

C'était mieux que rien. L'armée n'avait pas grand-chose non plus : quelques vieux blindés essoufflés, des jeeps, des mitrailleuses sur des camions et beaucoup de férocité.

— Tim-Yo est-il toujours dans une cellule ou sort-il parfois?

— Il sort tous les jours, dans un champ qui fait partie de la prison, parce qu'il n'a pas encore été condamné.

— Où se trouve la prison d'Insein?

— Au nord-est de la ville, pas très loin de l'aéroport, le long de la ligne de chemin de fer qui fait le tour de

Rangoon, à la station de Ywama. Juste à côté il y a le quartier général du CID, à l'ouest il y a la rivière Hlaing. C'est déjà la forêt avec de petits villages.

– Si on arrive à traverser la rivière, on pourrait s'enfuir de l'autre côté?

– Non, il n'y a pas de routes.

– Où rencontrez-vous ce gardien de prison?

– Dans un petit village sur le bord de la rivière où il y a un marché, à Kanna. C'est à un kilomètre de la prison à peu près.

– Faites-moi un plan.

You-Yi emprunta du papier à un bonze et dessina les lieux.

– Vous pouvez vous procurer les horaires des trains? demanda ensuite Malko. Ils sont généralement à l'heure?

– Vous voulez partir en train?

– Non, non, dit Malko, mais je veux utiliser ces trains. La voie ferrée se trouve bien entre la prison et la route qui va vers le centre?

– Tout à fait.

Il essayait de visualiser les lieux.

– Les gardiens ont-ils beaucoup d'armes? demanda-t-il encore.

– Non, pas à l'extérieur, je ne crois pas, des pistolets. Les autres sont dans des miradors, avec des mitrailleuses.

– Si je me procure une voiture et que je vous aide à faire évader Tim-Yo, vous me faites sortir du pays?

– Oui.

– Bien, dit Malko. Je vais vous expliquer mon idée.

En attendant de fuir la Birmanie, il s'enfonçait dans une aventure complètement folle. Sans avoir le choix.

CHAPITRE XVI

George Kearod n'avait pas fermé l'œil de la nuit. D'ailleurs depuis l'opération manquée chez Aung San Suu-Kyi, il ne dormait pratiquement pas. Il avait été fumer l'opium chez Sandy Nwé et même cela ne l'avait pas calmé. Le général ne plaisantait pas et George connaissait sa férocité... L'Américain était sûr que Malko s'était réfugié un temps chez Andrea Meyer, mais certain aussi qu'il n'y était plus. Où le trouver ?

Myunt Myunt lui apporta son thé et il la gourmanda, de mauvaise humeur. Le téléphone sonna et il décrocha comme un fou. Si seulement c'était Malko ! La voix qu'il entendit le glaça.

– Rien de neuf ?

Il allait répondre « rien, mon général » quand un souvenir lui revint brutalement en mémoire. L'instinct de conservation remettait à neuf son cerveau engourdi par des années d'opium. Il se redressa, renversant du coup son bol de thé, le cœur battant la chamade.

– Si, si !

– Vous l'avez retrouvé ?

– Non, mais j'ai une piste.

Il venait brutalement de se souvenir d'un détail : l'embarras de Malko lorsqu'il avait remarqué ses doigts tachés d'encre. Il se méfiait déjà de lui, donc cela avait un rapport avec sa mission. Un jour des étudiants avaient mentionné une astrologue très liée à *Red Eagle*, parce que très croyante. Pendant les événements, elle avait effectué beaucoup de liaisons entre les Pagodes et les étudiants. Une certaine Kyi Kyi, installée dans Bagyar Street. Une vierge de quarante ans. Il fit part au général de ses soupçons, précisant :

– Par elle, on pourrait remonter le réseau qui cache celui que vous recherchez.

– Peut-être, fit sans se compromettre le général Latt.

Il raccrocha sans même dire merci et George Kearod but son thé brûlant et noir, essayant de ne pas penser à ce qu'il venait de faire... Il devait se concentrer sur ce qui lui importait le plus au monde : sa propre vie.

Les phares de la Mazda éclairaient d'innombrables silhouettes se hâtant vers les bas-côtés de la route. Insein Road descendait vers le sud, parallèlement à la voie ferrée. Les villages succédaient aux villages, coupés de zones encore boisées. Des flots de cyclistes, des bus et des taxis collectifs. Pratiquement pas de voitures particulières. La nuit était tombée et de l'extérieur, personne ne pouvait distinguer la peau claire de Malko. You-Yi avait arrangé cette reconnaissance, grâce au neveu d'un des bonzes de Shwedagon, chauffeur de taxi collectif. Il avait cueilli Malko à la lisière du bois de Bahan, sans un mot, car il ne parlait pas l'anglais, dûment chapitré par You-Yi.

Ils descendaient Insein Road, la voie ferrée à leur droite. Des gens marchaient entre les rails. Le neveu du bonze ralentit : un embranchement partait de la route, traversant un passage à niveau. Il ne le prit pas, continuant tout droit, et tendit la main vers la droite, désignant du doigt, de l'autre côté de la voie ferrée, ce qui ressemblait à une prairie entourée de barbelés : la « cour de récréation » de la prison. Tout de suite après se trouvaient plusieurs constructions rectangulaires avec des miradors et un gros bâtiment rond, comme un énorme gruyère.

Le chauffeur roula encore un peu, puis fit demi-tour. Juste en face d'un atelier de mécanique en plein air encombré de wagons éventrés. Malko se remplit les yeux de la prison. Aucun mirador autour de la pelouse. Un grondement lui fit tourner la tête. Un train arrivait du sud, avec une sage lenteur, bourré de voyageurs. Il stoppa à la station de Ywama et une partie du convoi s'arrêta sur le passage à niveau, le bloquant. Malko chronométra l'arrêt : quatre minutes. Une éternité...

Dès que le convoi fut reparti, ils franchirent la voie ferrée, empruntant un chemin défoncé bordé de maisons sur pilotis, à la birmane. Un kilomètre plus loin, Malko aperçut la rivière Hlaing et un petit village avec un marché et un embarcadère où trépidaient des jonques comme en Thaïlande. C'est là que les amis de Tim-Yo retrouvaient le gardien de prison corrompu...

D'un signe, il fit comprendre à son chauffeur qu'il en avait assez vu. A vingt à l'heure, ils reprirent le chemin du retour, cahotés comme dans une carriole. Probablement par économie, les Japonais avaient supprimé les amortisseurs dans la version destinée à la Birmanie.

Maintenant qu'il avait été à Insein, Malko savait que son plan n'était pas complètement fou. Il fallait seulement un minutage, une organisation précise et beaucoup de chance.

Il fallait aussi que des étudiants qui n'avaient jamais combattu soient capables de mener une action de commando... De toute façon, il avait peu d'alternatives. C'était ça ou la pagode à vie.

Kyi Kyi, privée de ses lunettes, ne voyait pas à un mètre. Le monde était réduit à des silhouettes floues. Le coup qu'elle avait reçu sur le nez lui faisait horriblement mal. Les gens du MIS avaient débarqué à trois sans un mot, pendant qu'elle consultait. Sa cliente, une

vieille femme venue de province, avait été jetée brutalement dehors, son appartement fouillé de fond en comble. Hélas, elle avait conservé des documents sur sa
collaboration avec *Red Eagle*. Les soldats qui accompa-
gnaient les trois civils avaient embarqué dans de grands
sacs de plastique tous ses livres et ses papiers. On lui
avait ligoté les mains dans le dos et on l'avait jetée dans
une jeep.

Kyi Kyi n'avait pas osé poser de questions sur sa
destination, mais en franchissant une barrière rouge,
gardée par la police militaire, elle avait reconnu, l'estomac noué, le centre d'interrogatoire de Mingaladon à la
réputation sinistre. On l'avait jetée dans une cellule nue,
sans rien lui donner à manger et elle avait passé la nuit,
régulièrement rouée de coups par un gardien.

La porte s'ouvrit, elle distingua deux silhouettes qui
la firent lever et la traînèrent jusqu'à une autre pièce.
On l'assit sur une chaise, en face d'un bureau où se
tenait un capitaine. Derrière, elle aperçut une sorte de
table d'opération et des instruments qui lui donnèrent
la chair de poule. L'officier du MIS ne perdit pas de
temps.

— Si tu dis la vérité, annonça-t-il, tu seras relâchée
rapidement. Sinon, nous serons sans pitié. Il faut
arrêter le complot communiste qui veut détruire
l'Union de Myanma. La semaine dernière tu as reçu un
Kala-pyu. Pourquoi?

Kyi Kyi s'attendait à la question.

— Oui, fit-elle, il est venu, je ne le connaissais pas.

— C'est faux! hurla le militaire, tu ne reçois jamais
d'étrangers. Comment est-il venu chez toi? Tu le
connaissais!

— Non.

— Il paraît que tu vois beaucoup de bonzes, insinua-
t-il. Que tu fais l'amour avec eux.

Kyi Kyi tomba dans le piège, horrifiée.

— C'est faux, protesta-t-elle. D'abord, je suis vierge.

— Donc, tu prétends que tu ne savais pas qui était cet
étranger?

– Oui.

– Menteuse! Tu vas voir.

Il se leva, la détacha et la traîna jusqu'à la table de métal où il la fit basculer sur le dos. On lui attacha les mains et les chevilles. Puis, l'officier revint avec un poignard recourbé; elle crut qu'il allait l'égorger et ferma les yeux. Le crissement du tissu déchiré les lui fit rouvrir. Il était seulement en train de découper son longyi, découvrant ses cuisses nues et son ventre. Elle cria de honte.

– Arrêtez!

Kyi Kyi se mit à pleurer. C'était horrible de se trouver ainsi livrée à la convoitise de cet homme qui la contemplait en ricanant. Comment un bouddhiste pouvait-il se conduire ainsi? Contrairement à ce qu'elle attendait, il ne la viola pas. Il se pencha sur elle, un curieux instrument à la main. La pointe en ivoire jauni d'une énorme défense d'éléphant, longue d'une trentaine de centimètres, en mesurant sept ou huit de diamètre à la base. Une poignée avait été vissée sur la partie plate, permettant de la tenir.

L'officier du MIS se pencha sur Kyi Kyi.

– Je crois que tu as besoin d'une leçon. Il ne faut pas se moquer de Tatmadaw.

Tout en parlant, il avait posé la pointe rugueuse de la défense sur le sexe ouvert de la Birmane. Il tâtonna un peu, puis pesa de tout son poids sur la poignée. Kyi Kyi poussa un hurlement strident. La pointe venait de heurter les restes de son hymen et les parois desséchées de son vagin. La douleur physique se mêlait à l'abominable humiliation morale... Les dents serrées, son bourreau poussait. Soudain, la défense s'enfonça d'un coup de près de quinze centimètres, retenue seulement par l'étroitesse de la muqueuse. Kyi Kyi se tordit, le ventre parcouru par une douleur abominable.

Son tortionnaire vérifia si elle avait une hémorragie. Rassuré, il accentua sa pression, puis au changement de tonalité des cris de douleur, comprit que la pointe d'ivoire touchait la paroi de l'utérus et qu'il risquait de tuer sa victime. Tous les interrogateurs avaient reçu quelques rudiments médicaux afin d'éviter les accidents.

– Tu aimes ça? demanda-t-il.

En pleine crise de nerfs, Kyi Kyi ne répondit pas. Alors, il s'amusa à élargir l'ouverture du vagin d'un mouvement circulaire. Jusqu'à ce que sa victime perde connaissance, un filet de sang coulant le long de ses cuisses. Il jeta alors l'engin dans un seau d'eau sale et alla se rasseoir à son bureau. Il était sûr que cette fille possédait des informations vitales. Il les voulait. Mais les bouddhistes étaient parfois extrêmement résistants à la douleur, à cause, justement, de leur foi...

Kyi Kyi reprenait connaissance, sanglotant, se tordant dans ses liens. Il revint près d'elle.

– Tu as décidé de collaborer?

Elle ne répondit pas. Se demandant ce qu'on pouvait lui faire de plus. L'officier savait que la torture pure trouvait très vite ses limites. Il y avait mieux à faire avec une femme. Il fit signe aux deux soldats de la détacher et ils prirent place tous les quatre dans une jeep qui s'enfonça dans le camp, vers des baraquements invisibles de la route, dissimulés par un pli de terrain. Le *vrai* centre de torture. On n'en sortait que rarement. Ils franchirent une poterne gardée par deux soldats. Les bâtiments étaient disposés en carré, abritant des cellules de deux personnes où les prisonniers s'entassaient parfois à quinze. L'odeur pestilentielle prenait à la gorge.

Au milieu de la cour, il y avait une dizaine d'ouvertures au ras du sol, fermées par des planches. Des « cellules » en forme de cône où survivaient des prisonniers à qui on jetait un peu de nourriture. Ceux-là servaient de réservoir pour les exécutions.

– Va chercher Nuu, ordonna le capitaine.

Un sous-officier écarta une des trappes et installa une échelle, disparaissant dans le trou. Quelques instants plus tard apparut le crâne rasé d'un vieillard, hagard, le regard fixe. Lui, on lui avait mis de l'héroïne dans sa soupe pour le briser... Un bonze qui avait interdit l'entrée d'une pagode. Il était d'une maigreur squelettique, le corps couvert de pustules et de morsures de rats. Ses compagnons lui volaient sa nourriture...

Le capitaine se tourna vers Kyi Kyi, jovial.

— Je crois que tu aimes bien les bonzes! Eh bien, tu vas partager ta cellule avec celui-là.

D'un geste naturel, il tira son pistolet et l'appuya sur l'oreille du bonze. Le détonation arracha un hurlement à Kyi Kyi. Le vieil homme fut projeté à terre, la balle ressortit par la calotte crânienne, en emportant un bon morceau...

Kyi Kyi n'eut pas le temps de digérer son horreur. Les soldats relevèrent le cadavre et le jetèrent sur elle. En un clin d'œil, ils l'eurent ficelé étroitement à Kyi Kyi, de façon à ce qu'ils ne fassent qu'un. Le capitaine contempla cet abominable sandwich, l'air satisfait. Il lança un ordre et ses subordonnés soulevèrent une autre trappe, un peu à l'écart. Là où on jetait les mourants et les morts.

Kyi Kyi hurlait encore lorsqu'on l'y précipita.

Le capitaine se pencha sur l'ouverture et cria, faisant fuir quelques rats en train de dévorer des cadavres.

— A demain, réfléchis bien.

Malko souleva avec précaution l'anneau de barbelés maintenant fermé les deux parties du portail de George Kearod. La nuit était tombée et son « taxi » Mazda l'attendait un peu plus loin. Quelques heures plus tôt, il avait appris par You-Yi l'arrestation de l'astrologue et y voyait la main de l'Américain... Son pistolet extra-plat était glissé dans sa ceinture et il était bien décidé à s'en servir...

Son pouls battit plus vite. La Toyota était là, garée devant la porte. Donc, George Kearod devait se trouver à l'intérieur... Il approcha de la voiture à pas de loup et pesa sur la portière. Elle s'ouvrit sans problème. Il se coula à l'intérieur, tâtonna et trouva les clefs sur le contact. Myunt Myunt lui avait dit qu'en Birmanie on ne volait pas les voitures et qu'on laissait toujours les clefs dessus.

Il tourna le contact et le moteur démarra aussitôt. Un grand coup d'accélérateur et il enclencha la première. La porte de la maison s'ouvrit sur George Kearod drapé dans un longyi au moment où Malko franchissait le portail. Il parcourut quelques centaines de mètres puis ralentit afin de laisser passer la Mazda devant lui. Vingt minutes plus tard, ils pénétraient dans le jardin d'une petite maison. Une bâche fut aussitôt jetée sur la vieille Toyota et Malko remonta dans la Mazda. Ravi. Il venait de se procurer ce qui lui manquait pour tenter de faire évader Tim-Yo.

Malko se glissa au volant de la Toyota de George Kearod. Le plein avait été fait grâce à des bouteilles d'essence achetées au marché noir et le moteur vérifié. Il faudrait ignorer la troisième et ne pas dépasser le cinquante... You-Yi prit place à côté de lui et ses deux camarades derrière, avec leurs fusils d'assaut. La Mazda suivait avec deux autres étudiants et les grenades. Il roulait lentement, attentif à ne violer aucune des règles de circulation.

Dans une heure au plus, il saurait si son pari fou avait réussi.

CHAPITRE XVII

Tous les sens aux aguets, Malko ralentit en arrivant à la hauteur de Ywama. Sur sa droite, apparut la prairie entourée de barbelés faisant partie de la prison d'Insein. Plusieurs dizaines de prisonniers, certains vêtus de blanc, évoluaient, se livrant à différents exercices de gymnastique. D'autres déambulaient par petits groupes ou se reposaient, assis sur l'herbe. Une demi-douzaine de gardiens étaient en vue, tous armés de pistolets et de riot-guns.

– Ceux qui sont habillés en blanc sont les libérables, qui ont commis de tout petits délits, expliqua You-Yi, la voix nouée.

Malko continua jusqu'à l'atelier de mécanique. Aucune présence policière en dehors des effectifs de la prison. Il fit demi-tour, s'engagea dans le passage à niveau menant à Kanna et se gara un peu plus loin. Le gardien de prison acheté qui les attendait à l'embarcadère de Kanna avait l'habitude de voir un des garçons. S'il apercevait un Blanc, il risquait de s'affoler et de donner l'alerte.

Un silence de mort régnait dans la Toyota, troublé parfois par le grondement d'un vieux bus vert surchargé qui se traînait dans les ornières. La tension dans la voiture était presque palpable. Malko se retourna et vit les visages crispés des deux jeunes étudiants. C'était la

première fois qu'ils allaient se livrer à une opération de
commando.

Les secondes s'écoulaient, interminables. You-Yi
bougea, les yeux rivés sur la route.

– Ils reviennent! s'exclama-t-elle.

La Mazda apparut et s'arrêta devant eux. Son chauffeur les rejoignit. Malko avait baissé la glace.

– Tim-Yo est dans la prairie! annonça-t-il. Encore
pour vingt minutes.

– On y va, dit Malko.

Il fit demi-tour. Quelques minutes plus tard, le
passage à niveau apparut. Malko se gara juste de
l'autre côté de la voie ferrée et consulta sa montre :
deux heures dix. Ils avaient cinq minutes avant l'arrivée
du train suivant. Comme prévu, le conducteur de la
Mazda sortit de son véhicule et déploya un énorme
cerf-volant... Il se mit à courir le long de la voie ferrée,
parallèlement à la clôture de barbelés entourant la
prison.

C'était le signal pour Tim-Yo.

Les prisonniers tournèrent la tête vers le triangle de
toile multicolore. Il y en avait souvent, mais celui-là
était orange, couleur de la robe des bonzes. Celui qui le
tirait courait à perdre le souffle. Malko, le pouls à cent
cinquante, guettait les prisonniers. C'est You-Yi qui
donna l'alerte, en criant d'une voix étranglée par l'émotion.

– Le voilà! Près des poteaux de basket!

Malko aperçut un prisonnier en train de se diriger
vers la clôture. D'abord d'un pas normal, puis de plus
en plus vite. Tim-Yo, le frère de Yé-Wé. Pour l'instant,
les gardiens n'y prêtaient pas attention, mais tout allait
se jouer très rapidement. Malko se retourna.

– Les pinces. Soyez prêts.

Un des étudiants prit une énorme cisaille, tendant
son G.3 à Malko, visiblement soulagé de ne pas avoir à
tirer... Tim-Yo se trouvait à une vingtaine de mètres de
la clôture quand un gardien lui cria quelque chose. Il
accéléra. Le gardien commença à courir derrière lui.

– Allons-y! dit Malko.

Il sauta de la voiture, le G.3 enveloppé dans une feuille de carton, traversa la voie ferrée et prit position à quelques mètres de la clôture, tandis que le jeune qui portait les cisailles s'attaquait aux barbelés.

Tim-Yo se rapprochait, le gardien sur ses talons. Ce dernier, tout en courant, commença à sortir son pistolet. Malko releva le canon du G.3.

Le gardien qui poursuivait Tim-Yo ne le vit pas, mais un autre l'aperçut. Immédiatement, il dégaina son arme et visa soigneusement. Malko n'avait plus le choix.

Le G.3 tressauta contre son épaule quand il lâcha une première rafale. Le gardien trébucha, tomba et demeura allongé. Les détonations déclenchèrent toute une série de réactions. Des coups de sifflets éclatèrent partout, les prisonniers se mirent à courir vers les bâtiments, refoulés par les gardiens; d'autres tentèrent au contraire de foncer vers les barbelés.

Tim-Yo était arrivé aux barbelés. Malko vit ses traits presque enfantins crispés par la terreur et la tension.

– Par ici, Tim-Yo, lança-t-il.

Tim-Yo se précipita vers lui. Le jeune à la pince était tellement énervé qu'il s'y prenait maladroitement, n'arrivait pas à venir à bout de la clôture... D'autres coups de feu éclatèrent, les gardiens tiraient dans leur direction. You-Yi surgit près de Malko, affolée, ne sachant que faire. Son copain était toujours empêtré dans ses barbelés.

– Couvrez-moi, demanda Malko à la jeune étudiante.

Posant son G.3, il arracha la pince des mains de l'étudiant et se mit à cisailler les barbelés. Une balle ricocha en couinant près de lui. Un coup de sifflet strident fit tourner la tête à Malko : un train arrivait, avec quelques minutes d'avance! Le grondement des wagons derrière lui couvrit quelques instants le bruit des coups de feu. Tim-Yo hésitait, hagard.

– Filez à la voiture! ordonna Malko à Tim-Yo et à You-Yi. Je vous couvre.

Au moment où il se relevait pour lâcher une rafale sur trois gardiens qui se rapprochaient un peu trop, un hurlement strident domina tous les autres bruits. La sirène de la prison qui donnait l'alarme... You-Yi et Tim-Yo étaient en train de se glisser sous les wagons arrêtés. Malko allait en faire autant quand le crissement sinistre d'une mitrailleuse se fit entendre. Des prisonniers qui couraient vers les barbelés se mirent à tomber comme des mouches, fauchés par les rafales aveugles...

Ivre de rage, Malko épaula son G.3 et lâcha une longue rafale sur le mirador, sans le faire taire. Il se retourna : il était tout seul avec le jeune étudiant à la pince qui tenait son G.3 sans tirer.

– Vite, on repart, lança-t-il.

Des balles commencèrent à siffler autour d'eux. Le servant de la mitrailleuse les avait repérés. Malko plongea sous un des wagons et se faufila entre les rails. Des hurlements sortaient de tous les wagons dont les glaces explosaient sous les projectiles! Ivres de fureur, les gardiens tiraient sur le train, espérant les toucher. Une douzaine de corps étendus dans la prairie étaient témoins de leur férocité...

Malko émergea de l'autre côté, protégé par la masse du train. Le Toyota était là, sous la garde de You-Yi, G.3 au poing. Il jeta un coup d'œil en arrière. Son compagnon n'avait pas suivi. Les tirs continuaient. Ils n'avaient pas beaucoup de temps. Du CID voisin, les renforts n'allaient pas tarder à arriver. Il attendit quelques secondes, puis replongea sous un wagon. Abrité derrière une roue, il trouva le jeune étudiant là où il l'avait laissé, la tête éclatée par une balle de mitrailleuse.

Il n'y avait plus qu'à se replier. Après être repassé sous le train, il fonça jusqu'à la Toyota. Le moteur tournait. You-Yi serrait Tim-Yo contre elle à l'arrière. Malko embraya et fila vers le nord. Le train n'avait pas encore bougé quand ils tournèrent dans un sentier repéré à l'avance, la Mazda devant eux... Pendant vingt minutes, ils roulèrent vers le centre de Rangoon, tendus comme des cordes à violon. L'alerte avait sûrement été donnée, mais la police birmane ne devait pas avoir beaucoup de moyens de communications. En plus, le train avait empêché les gardiens d'apercevoir la Toyota. Il leur faudrait un certain temps pour relier la voiture à l'évasion... Quant à la Mazda, il y en avait des centaines semblables à Rangoon.

Malko se retourna. Tim-Yo tremblait de tous ses membres, incapable de prononcer un mot. Il se fit la réflexion égoïste que maintenant, c'était à lui de s'évader et que c'était moins évident. Les deux véhicules arrivaient en ville. Impossible de garder la Toyota de George Kearod, trop repérable. Cela avait été prévu. Ils arrivèrent près d'un garage et se garèrent sur le bas-côté. Une autre Mazda attendait, avec un étudiant au volant. Ils abandonnèrent la Toyota et démarrèrent aussitôt. La bâche abaissée, Malko distinguait à peine l'extérieur. Il reconnut au passage le parc Thakus Mya puis ils tournèrent dans une petite rue du quartier chinois. L'odeur habituelle de poisson séché lui sauta à la figure. Quelques cahots, un coup de frein. La bâche se souleva : ils étaient dans une cour déserte. You-Yi les houspilla.

– Vite, venez.

Un escalier sombre et puant, puis une grande pièce presque vide aux murs noirâtres, avec un très haut plafond et des cartons entassés, pleins d'inscriptions chinoises. A l'autre bout, un escalier en colimaçon où apparut la tête d'une Chinoise en *Ai-do,* les longs cheveux sur la nuque. Elle se jeta dans les bras de You-Yi et les deux femmes s'étreignirent. Tim-Yo s'était laissé tomber sur une natte et bavardait à voix basse avec les deux autres garçons. Malko resta debout, appuyé à une caisse.

You-Yi revint vers lui, un peu calmée et lui jeta un regard admiratif.

– Vous faites désormais partie des nôtres, dit-elle. Vous avez été magnifique. Tim-Yo vous doit la vie.

– Où sommes-nous? demanda Malko.

– Dans un endroit sûr. C'est une amie d'enfance. Ses deux frères ont été tués pendant la rébellion, étouffés dans un car de la police. Elle hait le régime. Nous n'avons jamais utilisé cette planque, donc elle est sûre. Tout l'immeuble leur appartient et ici, nous sommes chez les Chinois, ils savent tenir leur langue...

« En bas, il y a un restaurant et un salon de coiffure. Trois sorties dont une par les toits... Reposez-vous, nous mettrons ensuite au point votre évasion, à vous.

*

Le général Thiha Latt dissimulait sa fureur en fumant un énorme cheroot qui l'entourait d'un halo de fumée nauséabonde. L'évasion de Tim-Yo portait la marque d'un professionnel. Il connaissait assez les étudiants pour savoir que tout seuls, ils n'y seraient pas parvenus. Non seulement il avait perdu la face, mais celui qu'il voulait manipuler le manipulait à son tour! Au fond, il se moquait de Tim-Yo mais ce qui s'était passé signifiait que l'homme de la CIA travaillait désormais avec les étudiants rebelles soutenus par Red Eagle. On frappa à la porte et il cria d'entrer.

George Kearod apparut, les mains menottées derrière le dos, les cheveux dans la figure, clignant des yeux sans ses lunettes, le visage marbré de coups.

– Qu'est-ce qu'il y a? Qu'est-ce. qui se passe! hurla-t-il.

L'officier birman le regarda avec froideur.

– Vous avez participé à l'évasion d'un dangereux prisonnier et plusieurs membres de Tatmadaw ont été tués. Vous êtes passible de la peine de mort.

– Mais c'est faux! protesta l'Américain, je suis resté toute la journée dans les bureaux du ministère du Commerce.

– C'est votre voiture qui a été utilisée.

– On me l'a volée hier soir! cria George Kearod. J'ai porté plainte au CID.

– On va vérifier tout cela, fit le général. Emmenez-le.

Il savait parfaitement que George Kearod n'avait rien à voir dans l'évasion de Tim-Yo et avait l'intention de le relâcher dans quelques heures. Mais ce n'était pas mauvais de lui faire sentir le poids de la terreur. Il pourrait servir le cas échéant. Pour l'instant sa meilleure chance de remonter la piste était Kyi Kyi, la chiromancienne. Si elle savait quelque chose...

**

Malko avait dormi deux heures et mangé un bol de riz arrosé de *quapi* (1) et de bière chinoise tiède, le réfrigérateur étant en panne, faute d'électricité... Il réfléchissait, le dos appuyé à des cartons de conserves de crabe, tandis que You-Yi était plongée dans une conversation à voix haute avec Tim-Yo. La jeune Birmane vint s'accroupir en face de lui.

– Il y a un problème, annonça-t-elle de sa voix douce.

Malko fit un effort prodigieux pour ne pas sauter au plafond. Il vivait le mythe de Sisyphe qui poussait un rocher sur une pente sans jamais parvenir au sommet.

– Lequel?

La tension de sa voix était telle que You-Yi essaya de le rassurer d'un sourire.

– Ce n'est rien, ce n'est rien, affirma-t-elle. Seulement la filière d'exfiltration de Tim-Yo ne fonctionne qu'à partir de Mandalay. Ce sont des contrebandiers qui partent de là-bas avec des meubles et des objets d'art pour les antiquaires thaïlandais. Il va falloir les payer, d'ailleurs.

– Cela n'est pas grave, dit Malko.

Il avait encore plusieurs milliers de dollars.

– Et pour aller à Mandalay?

– Si vous étiez birman, ce serait possible, on vous

(1) Sauce de poisson.

raserait le crâne en vous faisant passer pour un bonze, mais vous êtes un *Kala-pyu*.

Malko faisait tourner son cerveau à 100 000 tours, catastrophé par ce nouvel obstacle. Une seule personne pouvait peut-être l'aider : Andrea Meyer.

— J'ai une amie sûre à l'ambassade américaine, dit-il. Il faudrait que je lui parle. Pouvez-vous faire quelque chose?

You-Yi ne sembla pas enthousiaste.

— Je vais voir, finit-elle par dire.

Elle repartit pour un long conciliabule à l'autre bout de la pièce, laissant Malko passablement angoissé. Les Services birmans finiraient par mettre la main sur lui s'il restait à Rangoon. Il savait trop que, dans ce mortel jeu du chat et de la souris, c'était toujours le chat qui gagnait... S'ils le prenaient, c'était fini. Adieu le château de Liezen, adieu Alexandra et adieu la vie.

Les trois soldats qui hissaient le paquet composé de Kyi Kyi et du cadavre du vieillard assassiné plaisantaient sur leur poids. Totalement dépourvus de sensibilité comme la plupart des Orientaux, endoctrinés, ils ne voyaient hors l'armée que des communistes et ceux-ci devaient être éliminés. L'odeur abominable qui s'élevait de la fosse ne les dérangeait même pas... Ils jetèrent à terre les deux corps. Quelque chose grouillait entre eux : un rat occupé à déchiqueter le cadavre. D'un coup de crosse, un des soldats lui écrasa la tête en riant.

Puis, on détacha Kyi Kyi et ils la traînèrent jusqu'à la salle d'interrogatoire. Elle avait été à peine mordue par les rats repus de cadavres, juste quelques marques de dents à l'oreille... Mais la jeune Birmane était hébétée d'horreur, tremblant de tous ses membres, le cerveau paralysé. Elle avait hurlé toute la nuit, oubliant sa faim et sa soif. Elle sentit à peine qu'on la jetait sur une chaise.

— As-tu passé une bonne nuit?

C'était la voix douce du capitaine qui l'avait interrogée la veille. Elle n'eut même pas le courage de répondre, d'ailleurs les mots n'arrivaient pas à se former dans sa tête. Dès qu'elle fermait les yeux, elle voyait les cadavres gonflés et putrides et les formes sombres et agiles des rats les dévorant jour et nuit. Elle ne savait même plus pourquoi elle était là.

Le capitaine vint se planter devant elle, avec une mimique dégoûtée et lui lança :

— Tu es décidée à me dire où se trouve *Red Eagle* ?

Kyi Kyi eut un sursaut. Elle n'osait pas dire « non ». Alors, elle ne répondit pas, incapable d'opposer plus qu'une résistance passive. Elle entendit le capitaine lancer à ses hommes :

— Vous allez ôter les autres cadavres et la remettre avec son vieux. Comme ça, les rats auront de quoi manger pour un moment... (Il revint vers elle et lui précisa méchamment :) Les rats ne t'ont pas trop attaquée parce qu'ils avaient de quoi s'occuper, mais maintenant, ça va changer... Et comme ils préfèrent les vivants aux morts, ils vont se régaler. Ils vont te bouffer vivante ! Allez, emmenez-la.

Kyi Kyi demeura prostrée jusqu'au moment de franchir la porte. Mais quand elle aperçut en plein soleil l'ouverture sombre de la fosse, elle craqua, se mettant à crier comme une sirène, se débattant de toute la force qui lui restait, s'arrachant les ongles contre le crépi. Le capitaine l'observait, impassible, alors que les soldats continuaient à l'entraîner. Puis il y eut un geste imperceptible et ils la lâchèrent.

Kyi Kyi s'effondra sur le sol, en proie à une crise de nerfs, tétanisée, hurlant sans arrêt. Quand elle fut un peu calmée, l'officier lui jeta :

— Tu es décidée à collaborer ?

Elle ne répondit pas, mais il comprit qu'elle était brisée. On la remit sur sa chaise, on lui donna un verre d'eau et le véritable interrogatoire commença.

**
*

Andrea Meyer pénétra avec appréhension dans la pièce où tournaient deux grands ventilateurs. En sortant de l'ambassade US, alors qu'elle récupérait sa voiture, elle avait trouvé un gosse en train de nettoyer son pare-brise. Elle s'apprêtait à lui donner un kyat, mais il ne tendit pas la main et d'un regard, lui fit signe de le suivre... Elle le vit monter dans le side-car d'un rickshaw et obéit, se souvenant de la recommandation de Malko d'être vigilante. Le rickshaw la mena dans le quartier chinois. Une petite rue encombrée et bruyante.

Le gosse la lâcha à l'entrée d'une boutique qui lui parut être un restaurant. Une jeune Chinoise au visage très pâle s'avança vers elle, contournant une table où une demi-douzaine de ses coreligionnaires étaient attablés, et lui dit :

– Venez, je vais vous prendre tout de suite.

Andrea aperçut alors, séparé de la grande salle par une cloison, un mini salon de coiffure... Il y en avait très peu à Rangoon, la plupart des « beauty parlors » n'étant que des instituts de prostitution déguisés... Docile, elle prit place et la Chinoise commença à lui laver les cheveux à l'eau froide... Pas vraiment agréable. Il n'y avait pas d'eau chaude dans le quartier...

Patiemment, la jeune femme endurait son supplice. Le séchoir anémique prit la suite... En tournant la tête, elle aperçut sur le trottoir un homme en train de faire les cent pas. Leur ange gardien. C'était pratiquement terminé quand, brutalement, la lumière s'éteignit dans un concert de rires et d'exclamations : les pannes étaient fréquentes à Rangoon, la centrale n'ayant pas assez de fuel. A peine dans l'obscurité, Andrea sentit qu'on la prenait par la main. Le cœur battant la chamade, elle se laissa guider, buta sur les marches d'un escalier, s'accrocha à la rampe jusqu'à ce que la lueur d'une bougie éclaire une grande pièce au premier étage et le visage d'une Birmane inconnue.

— Venez vite, fit cette dernière, on vous attend.

Andrea traversa la pièce et aperçut Malko. Instinctivement, elle se jeta dans ses bras. Discrète, You-Yi s'écarta. Malko chuchota :

— Nous n'avons pas beaucoup de temps. C'est une fausse panne, provoquée. Ainsi, même si on te surveille, on ne s'apercevra de rien.

Il lui expliqua le problème auquel il était confronté : gagner Mandalay. Andrea réfléchit rapidement.

— Il y a un moyen, proposa-t-elle. Je dois de toutes façons rejoindre mon mari à Mandalay. Je peux prendre deux billets par le train de nuit. Mais ce serait trop dangereux que tu partes par la gare centrale, cela fourmille de mouchards... Par contre, tu pourrais rattraper le train dans la banlieue; il y a plusieurs endroits où il roule à 10 à l'heure. Ensuite, tu gagnes la place à côté de moi, qui sera forcément libre.

— Il n'y a pas de contrôles durant le trajet?

— Aucun, sauf pour les billets.

— Et à l'arrivée?

— Tu utiliseras le passeport de mon mari. Ils ne contrôleront pas les diplomates. Ici, tout est très cloisonné. Si cela se trouve, à Mandalay, personne ne connaît ton existence. Ensuite, tu retrouveras les gens qui vont te faire passer en Thaïlande...

C'était risqué, certes, mais cela valait mieux que de rester à Rangoon où il serait fatalement pris.

— On peut essayer comme ça, conclut Malko. Quand peux-tu avoir les billets?

— Disons dans trois jours, parce qu'il y a peu de places. Le train part tous les soirs à 6 h 30, il fait déjà presque nuit. C'est facile, il y a seulement deux wagons de « upper class ».

— D'accord, dit-il.

You-Yi réapparut dans la lueur vacillante de la bougie.

— Il faut redescendre maintenant, dit-elle.

Andrea lui serra très fort les doigts et suivit la Birmane. Quand la lumière revint, elle était dans son fauteuil, en train de se frotter les cheveux. Elle laissa un billet de 45 kyats et alla prendre sa voiture.

You-Yi vint s'installer à côté de Malko, un bol de riz à la main. Elle paraissait contractée et Malko sentit son pouls grimper vertigineusement. Quelle nouvelle catastrophe allait-elle lui annoncer... Cependant, elle se contenta de remarquer :

– Ton amie est très « sucrée ». Je voudrais bien avoir la peau comme elle...

– Vous êtes ravissante, You-Yi, affirma Malko.

La Birmane eut un petit rire gêné.

– Oh non! je voudrais tellement avoir la peau claire, comme une *Kala-pyu*...

Malko sourit devant cette jalousie naïve, courante chez les Asiatiques. Mais You-Yi restait sans manger, les baguettes en l'air. Il y avait autre chose.

Elle se décida, fuyant son regard.

– Il y a un problème, *Ulé* Malko.

Ça commençait toujours comme ça. De nouveau, il se contint.

– Lequel?

– Notre grand frère Tim-Yo ne veut pas quitter Rangoon sans avoir vengé Yé-Wé.

– Je croyais qu'il voulait organiser l'exécution d'officiels birmans à l'étranger, remarqua Malko.

– Absolument, confirma You-Yi, mais ce n'est pas la même chose. Il veut tuer l'homme responsable de la mort de son frère.

Autrement dit, George Kearod.

Malko sentit le découragement l'envahir. Il n'en sortirait jamais... Dissimulant sa déception et sa fureur sous un sourire calme, il proposa :

– Je peux partir sans Tim-Yo.

You-Yi secoua la tête, de plus en plus gênée.

– Non, *Ulé* Malko, il n'y a que Tim-Yo qui sait à qui s'adresser là-bas.

Silence. Les bruits de la rue qui parvenaient vaguement jusque-là rappelèrent à Malko que le général Thiha Latt n'avait sûrement pas renoncé à mettre la main sur lui. Et que chaque heure passée à Rangoon représentait un risque mortel. Hélas, il fallait composer avec ces doux fanatiques.

– Comment veut-il faire? demanda-t-il, pour assassiner George Kearod.

You-Yi fixa sur lui un regard plein d'innocence.

– Il voudrait que vous l'aidiez, *Ulé* Malko.

CHAPITRE XVIII

You-Yi soutint le regard de Malko. Ce dernier se demanda si, au lieu de l'aider à quitter la Birmanie, les étudiants rebelles n'allaient pas tenter de le conserver indéfiniment comme « conseiller technique »... Tim-Yo attendait, assis sur une natte, les yeux fixés sur Malko, pleins d'humilité. Une nouvelle fois, ce dernier était piégé. Le Birman se leva et s'approcha, prenant la main droite de Malko dans les siennes. La tête inclinée respectueusement, il dit à voix basse :

— Je vous dois la vie, *Ulé* Malko, mais il faut que je venge mon frère et mes amis.

Avec ses traits lisses et son expression naïve, on lui aurait donné quinze ans alors qu'il en avait vingt-cinq.

— Nous avions tous confiance en *Ulé* George. Sans ce qu'il a fait, Yé-Wé n'aurait pas été obligé de trahir. Il a voulu sauver ma vie.

— Comment voulez-vous vous y prendre? demanda Malko.

— Avec un *jinglee*, expliqua Tim-Yo.

Il sortit de sa ceinture un rayon de roue de bicyclette dont une des extrémités avait été aiguisée, le transformant en une flèche redoutable. Tim-Yo prit dans sa poche une sorte de fronde qui permettait d'expédier son projectile à quelques mètres.

— Voilà, conclut-il, je voudrais que vous veniez avec

moi chez *Ulé* George, pour qu'il ne se méfie pas. A vous, il ouvrira. Je le tuerai et nous nous enfuirons dans la Mazda de mes amis.

George Kearod étant sur ses gardes, c'était à peine moins dangereux que de prendre d'assaut le ministère de la Défense. Maintenant, Malko savait qu'il fallait en passer par la vengeance de Tim-Yo pour sortir de ce pays piège. Il réfléchit quelques instants avant de suggérer.

– Je crois que j'ai une meilleure idée.

Les hommes du Lon Htein, spécialistes de la répression, encerclèrent sans bruit la Tasapatkin Pagoda, isolée dans le bois de Shwegondaing, au nord du lac Royal. Un bonze était en train de donner une leçon d'éducation religieuse à une vingtaine de bonzillons dont les âges s'échelonnaient entre dix et seize ans. Ses élèves avaient d'autant plus de mal à se concentrer qu'un autre bonze agenouillé devant un bouddah psalmodiait une prière retransmise par un haut-parleur. Quelques fidèles venus à pied priaient devant leurs offrandes.

Une jeep déboula du sentier sinuant à travers bois et stoppa brutalement. Il en jaillit deux membres du MIS, en uniforme, pistolets au poing. Un coup de sifflet et ceux du Lon Htein apparurent à leur tour, encerclant les lieux. Tous, en plus de leurs armes, avaient des gourdins à l'extrémité entourée de barbelés. C'étaient des brutes analphabètes, persuadées que Tatmadaw détenait la vérité absolue... Le capitaine Mo qui les commandait entra dans la pagode, faisant grincer les planches de tek.

Le bonze quitta aussitôt son tableau noir et s'avança vers lui avec un sourire.

– Pouvez-vous ôter vos chaussures? demanda-t-il poliment. Vous êtes dans un lieu sacré.

Pour toute réponse, l'officier leva sa botte et l'écrasa

de toutes ses forces sur les orteils nus du bonze qui poussa un hurlement. D'une bourrade, le capitaine Mo le projeta à terre et se mit à le rouer de coups de pied, jusqu'à ce que son visage soit couvert de sang. Les bonzillons assistaient à la scène, muets d'horreur. Plusieurs voulurent fuir, mais furent repoussés brutalement par les hommes en uniforme. Le capitaine releva le bonze ensanglanté et lança :

— Où est *Red Eagle*?

L'autre ne répondit pas. L'officier se retourna et fit signe à un de ses hommes qui accourut et lui tendit son gourdin. Il le prit et l'abattit de toutes ses forces sur les frêles épaules du bonze. Les barbelés arrachèrent des morceaux de chair et des lambeaux de sa robe orange, lui brisant la clavicule... Le malheureux essaya de fuir à quatre pattes, poursuivi par les coups scandés des hurlements de son tortionnaire.

— Où est *Red Eagle*? Où se cache cette vermine?

Il se tut, essoufflé, comme le bonze ne bougeait plus, couvert de sang, assommé. Une voix résonna, venant d'une loggia dominant l'endroit où se trouvaient les bonzes.

— Je suis ici.

L'officier leva la tête et aperçut un bonze âgé, de petite taille, qui le contemplait avec mépris. Il commença à descendre les marches et s'approcha du capitaine.

— Tu es en train d'offenser Dieu gravement, dit-il calmement. Il te faudra gagner beaucoup de « mérites » pour ne pas continuer ta vie sous des formes inférieures.

Une lueur de joie perverse passa dans les yeux du capitaine du MIS. Il avait en face de lui l'homme que tous ses services recherchaient depuis des mois. Il avait bien fait de traiter Kyi Kyi à sa façon. Avec les communistes, la subtilité n'était pas de mise... Et *Red Eagle* n'était qu'un maillon de la chaîne.

— Laisse Dieu tranquille, lança-t-il. Et réponds-moi.

Où se trouve une femme, une communiste qui se nomme You-Yi? Nous savons que tu la caches.

Il fallait agir tout de suite. Un homme comme *Red Eagle* pouvait affronter la torture et la mort. En plus, ses chefs ne le lui laisseraient peut-être pas interroger avec la brutalité nécessaire. Par contre, il venait d'avoir une idée diabolique. Comme le vieux bonze demeurait muet, il lança un ordre à ses hommes. Ceux-ci, à coups de pied et de gourdin, rassemblèrent les bonzillons terrorisés en une masse orange, au pied de l'autel du Bouddah. Le capitaine Mo affronta le regard de *Red Eagle*.

— Si tu ne me dis pas ce que tu sais, fit-il, ils vont les écraser comme des serpents.

— Tu n'oseras pas commettre ce crime, dit Red Eagle.

Sans lui répondre, le capitaine se retourna et lança un cri. D'un seul geste, les hommes en vert qui encerclaient les enfants se mirent à les frapper de leurs gourdins barbelés. Tapant comme des sourds.

C'était horrible. Les jeunes bonzes montaient les uns sur les autres, comme un troupeau affolé, essayant d'échapper aux coups qui déchiraient leurs chairs. Les soldats de Lon Htein s'acharnaient, brisant les os, faisant éclater la peau, dans un concert de hurlements. Un jeune bonze frappé en pleine figure, le visage éclaté, tomba comme une masse, piétiné par ses bourreaux. On n'entendait plus que les cris de douleur et le bruit mat des gourdins qui s'abattaient sur la chair. Des lambeaux de vêtements orange restaient accrochés aux gourdins, maculés de sang. *Red Eagle* comprit que tous les bonzillons allaient être tués s'il n'intervenait pas. Il avait affaire à des brutes sans âme.

— Arrêtez! lança-t-il.

— Tu vas parler?

— Oui.

L'officier lança un ordre et, à regret, ses hommes cessèrent de frapper. Les bonzillons gémissaient, se tordaient de douleur, repoussés par les bottes de leurs bourreaux lorsqu'ils rampaient pour s'éloigner. *Red Eagle* avait tranché, en son âme et conscience. Il admirait You-Yi, mais elle avait fait le choix des armes. Ces jeunes bonzes étaient totalement innocents. Il ne pouvait pas les laisser massacrer.

Le capitaine Mo se planta en face de lui.

– N'essaie pas de mentir, vieux déchet! Tu vas venir avec nous. Eux vont rester ici. Si je ne trouve pas cette fille, ils les massacreront jusqu'au dernier.

Sans un mot *Red Eagle* se dirigea vers la jeep où il s'installa, très droit, le regard dans le vide, en train de prier. Jamais il n'avait été confronté à une telle violence.

– Nous allons à Shwedagon Pagoda, dit-il. A l'entrée nord.

You-Yi dormait, épuisée de fatigue, dans une des pièces secrètes aménagées sous la Shwedagon Pagoda, quand un bonze se pencha sur elle et la secoua.

– Le Maître veut te voir, dit-il.

La jeune étudiante le suivit jusqu'à la pièce où convergeaient les tunnels menant aux entrailles de Shwedagon. Elle eut l'impression de recevoir un coup de poignard dans le ventre en voyant les hommes qui entouraient le vieux bonze. Ses jambes se dérobèrent sous elle... Déjà, les soldats de Lon Htein se ruaient sur elle, lui liant les mains derrière le dos. *Red Eagle* s'approcha, le visage empreint d'une infinie tristesse.

– Petite sœur, dit-il, je n'ai pas pu faire autrement. Ils allaient tuer tous mes élèves, des enfants innocents. Dieu les punira. Il te faudra beaucoup de courage, mais ces hommes ont promis de bien te traiter.

You-Yi ne put répondre, la gorge nouée par un mélange de terreur, de fureur et de dépit. Le vieux bonze était logique avec lui-même. A ses yeux, une vie de résistante ne pesait rien contre celles des bonzillons innocents. Il avait été de ceux qui lui avait conseillé de rendre les armes qu'ils avaient prises aux soldats, durant les émeutes.

Pour lui, la vie terrestre n'avait qu'une importance limitée. Il fallait avant tout demeurer fidèle à ses idées. La tête basse, You-Yi ne répondit pas. Elle remarqua que le capitaine s'était déchaussé. Sinistre comédie. Elle se laissa emmener sans résister sachant qu'elle commençait sa descente vers l'enfer.

*
**

Le général Thiha Latt était soucieux. L'homme qui venait de sortir de son bureau était le religieux le plus puissant du pays. Un très vieux bonze dont la sagesse était respectée partout. La nouvelle du matraquage des bonzillons s'était répandue comme une traînée de poudre. Toutes les communautés religieuses en étaient horrifiées. Ce qui risquait de remettre en cause le soutien tacite qu'une partie de la hiérarchie religieuse apportait au régime Ne Win.

D'un autre côté, il était fou de joie. Ce soir-là, il dînait chez le général Ne Win et il aurait de bonnes nouvelles : la résistance était décapitée. *Red Eagle* et You-Yi avaient été arrêtés. Le capitaine Mo avait fait un travail remarquable. Les interrogatoires de ces deux-là allaient sûrement permettre de mettre enfin la main sur l'agent de la CIA. Et de faire le procès d'Aung San Suu-Kyi. On frappa à sa porte et une sentinelle introduisit le capitaine Mo. Dissimulant sa fierté. Son supérieur écouta son rapport, le ponctuant de signes de tête approbateurs. Lorsqu'il eut terminé, il lui adressa un sourire froid.

— Vous avez accompli une tâche magnifique. Cependant...

Le capitaine sentit son estomac se serrer. Son supérieur enchaîna.

— La façon dont vous avez traité les jeunes bonzes a déchaîné les religieux.

— Il n'aurait jamais parlé sans cela, ce vieux salaud !

protesta le capitaine Mo. Et il n'y a eu que deux jeunes
bonzes tués. Les autres n'ont que des blessures sans
gravité.

Comme un œil arraché, des os brisés, le foie
éclaté...

– Je suis, hélas, obligé de prendre une mesure disci-
plinaire à votre égard, continua le général Latt, en
appuyant sur une sonnette.

Deux soldats entrèrent, la main sur leur arme.

– Vous allez être fusillé, continua d'une voix calme le
général Thiha Latt. Immédiatement. Vous avez désho-
noré Tatmadaw.

Le capitaine Mo n'eut pas le temps de réagir. Déjà,
les deux soldats l'entraînaient, après lui avoir arraché
son pistolet.

Resté seul, le général Latt alluma un cheroot et se dit
que finalement c'était une bonne journée.

Maintenant il fallait faire parler You-Yi au plus vite.
Avec elle, il n'y avait pas à se gêner. Même si on
l'écorchait vive, personne ne protesterait. Il avait l'intention de lui faire payer très cher son attitude. Avec
des méthodes sophistiquées, on pouvait torturer les
gens pendant des semaines. Une délégation des Services
secrets chinois avait séjourné deux mois à Rangoon
pour apprendre aux interrogateurs du MIS un certain
nombre d'astuces techniques.

Ensuite, ce serait le tour de l'homme de la CIA.

– You-Yi a été arrêtée!

Tim-Yo avait l'air d'une bête traquée. Malko eut
l'impression de recevoir un coup de poing dans le
plexus solaire. Il se redressa et regarda sa montre. Dix
heures du soir.

– Quand? Où?

– Aujourd'hui à la pagode Shwedagon. Un bonze est
venu me prévenir. *Red Eagle* aussi a été emmené. C'est
terrible.

— Il faut partir d'ici, dit Malko. Tout de suite.

Tim-Yo lui jeta un regard affolé.

— Pour aller où? Aucun endroit n'est sûr. Surtout si les bonzes nous trahissent.

Ils parlaient à voix basse, comme si on avait pu les entendre, alors qu'ils étaient seuls et que le magasin du bas était fermé. C'était la méga-tuile. Encore vingt-quatre heures à tenir avant le départ pour Mandalay. Malko se demanda combien de temps You-Yi allait résister aux tortures. Deux heures ou deux jours? Leur vie dépendait de la réponse...

En attendant, il n'y avait rien à faire qu'à prier. Même si Tim-Yo avait accepté de renoncer à sa vengeance, ils n'auraient pu quitter Rangoon avant le lendemain soir, à cause d'Andrea Meyer.

— Essayons de dormir, conseilla Malko. You-Yi est courageuse, elle va tenir le coup.

Tim-Yo parut vaguement réconforté par les paroles de Malko. Il s'enroula sur une natte, la main sur son G.3. Comme un enfant avec une peluche. Malko n'arrivait pas à fermer l'œil. Il avait l'impression de s'enfoncer dans des sables mouvants. Cette mission tournait au cauchemar. S'il ratait le train de Mandalay, il risquait d'être coincé définitivement à Rangoon. Mike Roberts devait se démener comme un beau diable à Bangkok, mais la Birmanie n'était pas le Panama : on ne pouvait pas y envoyer la 81ème division aéroportée...

Tim-Yo bougea dans son sommeil et balbutia des mots birmans. Il rêvait. Malko ferma les yeux, essayant de trouver le sommeil et le visage superbe d'Alexandra glissa devant lui, puis son corps somptueux, moulé dans une guêpière blanche, contrastant avec sa peau bronzée. En ce moment, elle devait se trouver à Salzbourg...

Il guettait le silence de la nuit, si compact que le moindre bruit y prenait un relief incroyable...

Assis sur un baril de poudre. A chaque seconde, You-Yi pouvait craquer et révéler leur planque. Ce n'est pas avec leurs deux G.3 et son pistolet extra-plat qu'ils tiendraient tête à l'armée birmane.

Il bascula enfin dans le sommeil et c'est une des jeunes Chinoises qui le réveilla à l'aube en lui apportant du thé. Tim-Yo était déjà debout. Son obstination allait leur faire courir un risque supplémentaire. Il restait à Malko quelques heures pour réaliser le plan dont il avait eu l'idée, scellant le sort de George Kearod. C'était le jour le plus long. S'il ne prenait pas le train pour Mandalay ce soir, il était perdu.

CHAPITRE XIX

George Kearod décrocha son téléphone à tâtons, bousculant la femme endormie à ses côtés. Il avait été relâché après quelques heures de détention. May Sein avait consenti à dormir chez lui, coincée par le couvre-feu et il avait largement profité de son corps épanoui. Les circonstances présentes ne lui réservaient pas tellement de bonnes surprises depuis quelque temps... Son cœur fit un bond dans sa poitrine lorsqu'il reconnut dans l'écouteur la voix de Malko.

Il se redressa, comme touché par une décharge électrique, et cria presque :

— Où êtes-vous?

Miraculeusement, la fin de ses ennuis était en vue.

— Je suis caché dans Rangoon avec les étudiants, expliqua Malko d'une voix lasse. Je n'osais pas vous contacter pour ne pas vous compromettre, mais je suis à bout. Tous ceux que je connaissais ont été arrêtés. Je vais l'être aussi.

— Laissez-moi vous aider! supplia George Kearod. Où êtes-vous?

— Je ne le sais même pas, avec précision. Vous pourriez me recueillir, au moins quelque temps?

— Bien sûr, fit chaleureusement George.

Silence. L'Américain serrait l'ébonite de l'appareil à la briser. Malko précisa enfin.

— Vous vous souvenez de l'endroit où nous avions

rendez-vous le jour de votre retour et où je vous ai raté?

– Oui, très bien.

– Là, à la même heure.

– Pas de problème.

Le clic de l'appareil raccroché sonna comme une délicieuse musique aux oreilles de George Kearod. Fébrilement, il se mit à composer le numéro de la ligne directe du général Latt.

*

Tim-Yo descendit lentement Sulé Pagoda Road, en direction du sud. Laissant sur sa droite la mosquée de Rangoon et un curieux immeuble rose bonbon datant des Anglais, il s'engagea dans le rond-point encerclant la pagode en réfection, se noyant dans la circulation venant de Mahabandoola Street.

Juste en face de lui se trouvait, au coin de Mahabandoola Street et de Sulé Pagoda Road, le bureau d'Air France. Quelques mètres plus loin, il y avait l'hôtel *Dagon* avec un salon de thé en plein air. Plusieurs clients étaient attablés dont George Kearod. L'Américain était seul à une table en train de fumer, sa voiture garée un peu plus loin, sur le terre-plein en face de l'hôtel. Le jeune birman continua dans Sulé Pagoda Road en longeant le parc Bandoola. Du coin de l'œil, il aperçut derrière les grilles des « jardiniers » en nombre inhabituel.

Le quartier devait être infesté de policiers. Heureusement, ils recherchaient un *Kala-pyu*, pas un Birman. Il continua sagement jusqu'à Merchant Street, en sens unique, tourna à droite et revint vers le nord par une petite rue parallèle. Son cœur battait très fort. Il pria Dieu pour que tout se passe bien. Malko l'attendait dans leur planque. S'il ne revenait pas, il était perdu. Il s'arrêta entre deux camions et changea de place avec son compagnon. Le moteur de la petite Mazda pétaradait joyeusement. L'arrière était chargé de ballots, ce

qui pouvait les protéger des balles en cas de poursuite.
Il tira le *jinglee* de sa sacoche et l'ajusta sur sa fronde.
Ses mains tremblaient tant il était ému et il se força à
respirer profondément pour se calmer. Puis, il les
essuya sur son jeans et dit à son ami :

– Allons-y.

Ils remontèrent une douzaine de blocs, parallèlement
à Sulé Pagoda Road et rejoignirent celle-ci au nord de
Sulé Pagoda. La circulation était assez intense et Tim-
Yo s'en félicita.

Son ami resta à droite, dans la contre-allée. Tim-Yo,
lui, cherchait à repérer les policiers. Il en aperçut sur la
passerelle enjambant le rond-point de Sulé Pagoda, puis
d'autres, déguisés en balayeurs devant la mosquée. Plus
tous ceux qui se dissimulaient sûrement dans des voitures à l'arrêt. La Mazda s'engagea dans le rond-point et
reprit la contre-allée. Tim-Yo leva sa fronde à l'horizontale, tirant sur le caoutchouc de toutes ses forces. Il
n'aurait droit qu'à une tentative. S'il ratait George
Kearod, c'était foutu.

George Kearod écrasa nerveusement sa cigarette
dans le cendrier devant lui. Il n'avait pas touché à son
lime-juice, l'estomac noué. L'heure du rendez-vous était
passée de dix minutes... Il ne tenait pas en place. Pour
tromper son anxiété, il se leva, se dirigeant vers sa
voiture pour y prendre des cigarettes. Tout l'environnement était quadrillé par le Special Branch. Une
seconde, il se demanda si les hommes du général Latt
n'avaient pas déjà intercepté Malko et s'il n'attendait
pas pour rien...

Ce qui serait encore mieux : il pourrait toujours
prétendre n'être pour rien dans la capture de Malko. Il
sentait bien que la CIA le soupçonnait au changement
d'attitude d'Andrea Meyer. On lui avait fait de petites
mesquineries, pour le renouvellement de son passeport
de service. Il n'était plus « persona grata ».

Heureusement qu'il lui restait sinon l'amitié, du moins le soutien du général Latt.

Il s'arrêta brusquement pour ne pas se faire écraser par une Mazda qui venait droit sur lui. Machinalement, il baissa les yeux vers la cabine. Il eut le temps d'apercevoir un visage crispé qui lui disait vaguement quelque chose et un éclair brillant reflétant le soleil... Presque au même moment, il ressentit une violente douleur à la poitrine, comme un trait de feu. Il baissa les yeux et vit une mince tige d'acier, fichée en plein dans son cœur, dépassant de trente centimètres.

Son ventricule gauche entra immédiatement en fibrillation. Il eut l'impression que ses côtes explosaient, un voile noir passa devant ses yeux et il tituba, cherchant à se rattraper à quelque chose. Puis, il mit un genou en terre, vit le sol monter vers lui dans un vertige horrible et tomba, agité encore de quelques sursauts... La Mazda continuait paisiblement son chemin, longeant le parc Bandoola. Personne n'avait rien remarqué. Les policiers disposés autour du lieu de rendez-vous crurent d'abord que George Kearod avait été heurté par le véhicule. Comme il ne se relevait pas, deux d'entre eux coururent vers lui. Il fallut le retourner pour voir le rayon de bicyclette planté en plein cœur. Sans le savoir, George Kearod avait été au-devant de la mort, facilitant grandement la tâche de Tim-Yo.

You-Yi avait le visage tuméfié et son corps était marbré de brûlures de cigarettes. Surtout, les seins et l'intérieur des cuisses. Pour ne pas parler des innombrables hématomes causés par les coups de pied, de poing et de matraque. Depuis son arrestation, elle se trouvait dans une des rares cellules du sous-sol du ministère de la Défense. Ses gardiens se relayaient pour briser sa résistance, comme on « attendrit » une viande...

Pourtant, lorsqu'elle pénétra dans le bureau du géné-

ral Thiha Latt, son cerveau fonctionnait parfaitement.
La douleur physique n'avait pas encore entamé ses
facultés. Elle n'ignorait pas, cependant, que ses bourreaux avaient le temps et qu'elle finirait par céder. Rien,
dans sa vie passée, ne l'avait préparée à cette horreur et
pourtant, elle ne flanchait pas. Avec une unique idée en
tête : ne rien faire qui nuise à ses camarades. Elle savait
que Malko et Tim-Yo étaient encore en liberté, sinon,
ils auraient été amenés au même endroit qu'elle. Cette
seule pensée lui donnait une force extraordinaire.

— Laissez-la, ordonna le général Thiha Latt aux deux
soldats qui l'encadraient.

Les mains étroitement menottées derrière le dos,
You-Yi ne représentait aucun danger.

Les soldats s'écartèrent et se dirigèrent vers la porte,
tandis que le général contournait son bureau pour se
rapprocher de You-Yi.

Tout se passa à la vitesse de l'éclair. La jeune
étudiante bondit comme un chat, d'abord sur une table
basse, ensuite sur le dossier d'un canapé et, la tête la
première, se jeta contre une des grandes fenêtres. Le
verre se brisa et elle disparut dans le vide.

Le général Latt se rua vers la fenêtre. Il aperçut en se
penchant le corps étendu de You-Yi sur l'aire en ciment
qui servait aux parades militaires, cinq étages plus
bas.

Dans la Mazda, Tim-Yo pleurait et riait. Cela avait
été ridiculement facile. Il avait tourné ensuite dans
Merchant Street, se perdant dans la circulation animée.

Trois blocs plus loin, il sauta du véhicule, y laissant
son arme et continua à pied. Il avait hâte de prévenir
Malko.

*
**

Les dernières heures avaient été les plus longues. A chaque seconde, Malko et Tim-Yo s'attendaient à entendre des pas dans l'escalier. Maintenant la nuit commençait à tomber, et ils devaient partir dans quelques minutes. Abandonnant la plupart de leurs armes. Malko gardait son pistolet extra-plat et Tim-Yo, trois grenades. Il eut été trop dangereux de se promener avec des G.3, encombrants et pas démontables!

Tim-Yo, dans sa joie, avait donné à Malko une courte lettre en birman destinée aux passeurs, avec l'adresse de l'antiquaire de Mandalay qui leur servait de base. Au cas où ils seraient séparés.

Première bonne nouvelle depuis longtemps.

– Il faut y aller, dit Tim-Yo.

Ils avaient décidé de procéder de la même façon tous les deux. Simplement, ils voyageraient dans des wagons différents. Le conducteur de la Mazda attendait dehors. C'était le moment le plus dangereux, car un mouchard pouvait apercevoir Malko. Ce dernier eut une pensée inquiète et reconnaissante pour You-Yi. Grâce à son courage, il était encore vivant.

Il grimpa le premier dans la Mazda qui mit aussitôt le cap vers l'ouest. Tim-Yo avait décidé de monter dans le train au village de Togyaungale, juste après le pont sur la Ngamoyek Chaung. La voie ferrée traversait une zone de jungle semée d'habitations et les trains y roulaient très lentement. Ils mirent une demi-heure à l'atteindre et il était six heures et demie quand ils y arrivèrent. Les gens circulaient sur les voies, comme si de rien n'était. Plusieurs maisons étaient construites à quelques mètres des rails et leurs habitants mangeaient dehors.

Le conducteur de la Mazda arrêta son véhicule à côté du passage à niveau, juste avant le village, et alla s'installer à un salon de thé... Quelques minutes plus tard, ils entendirent une sonnerie stridente et la barrière s'abaissa. Le train de Mandalay arrivait.

Malko et Tim-Yo sortirent de la Mazda et partirent le long des rails en courant, choisissant un endroit sans maisons. Tapis sur le ballast, ils attendirent.

– Le voilà! annonça Tim-Yo.

Le train de Mandalay arrivait avec une lenteur majestueuse, donnant de petits coups de sifflet pour avertir les gens marchant sur la voie... Ils laissèrent passer la locomotive, puis deux wagons de marchandises. Malko sauta sur le marchepied du troisième wagon, imité par Tim-Yo, et ouvrit la porte. La puanteur le prit au visage. Un pèlerin recroquevillé dans un coin dormait déjà. Il l'enjamba, tandis que Tim-Yo partait dans la direction opposée. Ils ne se retrouveraient que chez l'antiquaire de Mandalay.

Malko, son pistolet extra-plat glissé dans sa ceinture, avança le long d'un wagon-couchette où les passagers étaient en train de se préparer pour la nuit.

Encore un autre, cette fois, des sièges normaux de « upper class », à moitié vide. Pas d'étrangers. Il commençait à s'angoisser quand il poussa la porte du troisième wagon. Tout de suite, il aperçut les cheveux blonds d'Andrea Meyer. Il y avait une demi-douzaine d'étrangers, des jeunes, et quelques Birmans. Un haut-parleur diffusait une musique aigrelette à tue-tête et il dut frapper sur l'épaule d'Andrea pour attirer son attention.

Un sourire ravi éclaira le visage de la jeune femme.

– C'est merveilleux! murmura-t-elle, je pensais ne jamais te revoir.

– Moi non plus! fit Malko.

– Tu sais que George Kearod a été tué aujourd'hui...?

– Je le sais.

Elle n'en demanda pas plus. Personne n'avait fait attention à Malko. Un air frais entrait par les glaces ouvertes, le wagon était à moitié plein, des Birmans assez remuants, qui avaient tous des paniers de vivres. Le wagon restaurant était inconnu en Birmanie.

– La police est partie, dit Andrea, nous sommes tranquilles jusqu'à Mandalay. Quinze heures! Ce train s'arrête partout, c'est une voie unique et il ne peut pas aller très vite... J'ai apporté de quoi manger et une couverture, il fait frais la nuit.

– Et à l'arrivée?

– Nous faisons comme convenu.

Le convoi prenait une vitesse toute relative. Malko commençait à se détendre, il avait enfin quitté Rangoon. Andrea posa une main sur sa cuisse.

– La nuit va être longue! fit-elle. Ils n'arrêtent pratiquement pas la musique et ils n'éteignent pas la lumière.

*
**

Les wagons étaient tellement secoués que Malko avait l'impression de faire la route à cheval... Depuis dix heures, le haut-parleur avait cessé de cracher sa musique lancinante. Il ne se rallumait qu'avant chaque station, pour quelques mesures suivies d'une annonce langoureuse en birman et en anglais. Aussitôt, des nuées de marchands ambulants assiégeaient leurs wagons, offrant toute sorte de nourriture. Malko avait partagé des sandwiches et des bananes avec Andrea et ils essayaient de dormir, secoués comme des pruniers. La faible lumière nuisait nettement au sommeil.

Le train huhula longuement, ralentit, puis stoppa. Cette fois, il n'y avait pas de marchands ambulants. Ils étaient en rase campagne.

– Que se passe-t-il? demanda Malko, inquiet.

Andrea Meyer le rassura aussitôt.

– C'est un aiguillage, nous attendons le convoi en provenance de Mandalay. Cela prend entre une et deux heures... Il est toujours en retard.

Les autres passagers dormaient et un silence paisible régnait dans le wagon. A l'arrêt, les sièges étaient à peu près confortables... Il sentit tout à coup une main ramper sur sa cuisse et se poser sur son sexe.

Il rêvait et une semi-érection le durcissait. Andrea poussa un petit roucoulement ravi.

– Tu pensais à moi?

Sans attendre la réponse, protégée par la couverture, elle fit doucement glisser la fermeture, écarta les obstacles qui la gênaient encore et referma les doigts sur la virilité à nu. Très lentement, elle commença à masturber Malko, de façon à ne pas alerter les autres voyageurs... Malko se laissait faire. C'était délicieux. Ce le fut encore plus quand Andrea passa la main entre les boutons de sa chemise, et se mit à agacer ses mamelons... Cette fois, son membre réagit réellement, pour la plus grande joie d'Andrea, qui ne cessait de regarder autour d'elle.

Sa bouche large et charnue était entrouverte, comme guettant une proie. Malko jeta un coup d'œil à leurs voisins. Un couple de Birmans, devant, dormait, la main dans la main. Derrière, un autre Birman avait la bouche ouverte, les hippies chuchotaient à mi-voix. Et leur voisine de l'autre côté du couloir central était plongée dans un guide de Birmanie...

– Arrête! souffla-t-il.

Il sentait son érection grandir, sous les ongles habiles d'Andrea. La jeune femme abandonna sa poitrine et ses doigts filèrent vers son propre ventre. A d'imperceptibles mouvements de la couverture, Malko réalisa qu'elle s'administrait le même traitement que lui... Ce qui l'excita encore plus... Sa tête était rejetée en arrière, les seins gonflés et compacts semblaient prêts à jaillir de leur prison, les pointes se dessinaient nettement sous le chemisier.

Maintenant, les doigts d'Andrea étaient totalement refermés autour de son sexe et s'agitaient lentement, avec une régularité de métronome. Le tissu de la couverture, rugueux, agaçant sa chair à vif, lui donna un bref sursaut. Croyant qu'il allait s'épancher, Andrea retira vivement sa main et dit d'un ton de reproche plaintif.

— Attends, ne jouis pas tout de suite!

Malko tourna la tête et croisa le regard intéressé de la hippie, les yeux posés sur une bosse de la couverture qui ne pouvait venir que d'une cause. Elle se replongea aussitôt dans sa lecture, plus saine. La respiration d'Andrea s'était accélérée, il sentit une crispation mécanique sur son membre; au tremblement du bras, il comprit qu'elle était au bord de l'orgasme. Le brutal coup de reins qu'elle donna réveilla les gens de devant...

Elle retomba aussitôt tandis qu'une larme de volupté descendait sur sa joue.

— Ce que j'ai envie de faire l'amour! fit-elle à voix basse. S'il n'y avait pas tous ces gens...

Ses seins avaient légèrement perdu de leur arrogance et son regard était moins magnétique. Elle recommença pourtant à s'occuper de Malko des deux mains, cette fois. Il y eut une petite secousse : le convoi redémarrait... Il prit de la vitesse et le wagon commença à tanguer, comme un trot de cheval. La main d'Andrea s'immobilisa. Le sexe dressé montait et descendait entre ses doigts, grâce aux secousses régulières du wagon... Malko atteignait les limites de sa résistance. Plusieurs fois, Andrea avait méchamment serré la base de son sexe pour l'empêcher de jouir. Maintenant, il sentait un irrésistible orgasme monter de ses reins...

Inconsciemment, il se soulevait, déclenchant dans son siège des grincements bruyants. La hippie posa son guide de Birmanie et tourna la tête, frottant nerveusement ses cuisses l'une contre l'autre.

Le convoi accélérait et les oscillations de Malko aussi. Il ne put s'empêcher de pousser un grognement sourd, sentant la sève monter de ses reins. Brutalement, Andrea Meyer arracha la couverture, dévoilant le sexe dressé dans la pénombre. Une fraction de seconde seulement parce que sa bouche s'était déjà abattue dessus, l'engloutissant d'un seul trait. La sensation fut si exquise que Malko décolla presque de son siège.

Il tourna la tête et vit le regard de la hippie, mesmérisé. La tête montait et descendait à toute vitesse, comme le piston d'une locomotive, en une furia incroyable. Quand la sève jaillit, elle serra encore plus et sa bouche charnue aspira tout ce qui sortait, nettoyant le membre d'un mouvement circulaire. L'érection de Malko n'était pas retombée, mais elle la cacha aussitôt sous la couverture. La hippie les couvait d'un regard fou. Malko eut l'impression que s'il était resté exposé, elle serait venue prendre le relais d'Andrea. Il ferma les yeux, rassasié, calmé, et prit la main de la jeune Allemande. Son insatiable avidité pour le plaisir était égale à la sienne et se rencontrait finalement chez peu de femmes.

Peu à peu, il se mit à somnoler, réveillé parfois par les glapissements du haut-parleur. Puis, il sentit la bouche d'Andrea collée à son oreille et réalisa que le train avait considérablement ralenti. Par la fenêtre, il aperçut une sorte de savane plate avec de grands épineux, des banians et les éternelles pagodes dans le lointain. Quelques maisons, une petite gare.

— Nous arrivons bientôt, souffla Andrea Meyer.

Il se redressa d'un coup. L'obstacle suivant était là. Son pouls grimpa d'un coup, et il vérifia machinalement son pistolet. Il fallait sortir de la gare sans encombre et retrouver ensuite Tim-Yo. Si on s'était aperçu de sa fuite, il pouvait y avoir une surveillance accrue. Andrea lui glissa un passeport dans la main et dit gaiement :

— *Komm, Herr Meyer !*

La hippie ne les lâchait pas, fascinée par le spectacle auquel elle avait assisté. Malko aperçut, le long des rails, un haut grillage qui isolait la voie de la gare, derrière lequel des soldats campaient à même le sol. C'était aussi accueillant qu'Auschwitz... Sur l'autre quai aussi, des soldats et des voyageurs résignés avec des

ballots, de la volaille, attendant un autre train. Le
convoi s'arrêta dans un grincement de freins.

Malko et Andrea Meyer se retrouvèrent sur le quai.
Un gros Birman, dans un anglais approximatif, les
dirigea vers un couloir fait de deux hauts grillages, un
goulot d'étranglement qui allait jusqu'au bout du
quai.

Impossible de passer ailleurs. Tous les voyageurs
suivaient la filière. Malko aperçut au bout de la chicane
deux policiers birmans en civil qui vérifiaient tous les
passeports.

Son estomac se noua. Avec des dizaines de soldats
autour de lui, s'il y avait un pépin, il était cuit. Andrea
serra sa main à lui briser les os et dit à voix basse :

– Tout ira bien!

Rien n'était moins sûr.

CHAPITRE XX

Serrés entre les deux hauts grillages, les voyageurs du Rangoon-Mandalay ressemblaient à des Juifs arrivant dans un camp de concentration pendant la guerre. A l'extrémité du couloir, deux policiers en civil examinaient leurs papiers et ceux qui n'étaient pas en règle étaient immédiatement dirigés vers un enclos gardé par des soldats. Malko et Andrea Meyer arrivèrent à la hauteur des policiers. La jeune femme arborait son air le plus distant. C'est elle qui tendit les deux passeports diplomatiques avec un sourire arrogant.

– *We are diplomats,* annonça-t-elle.

Le policier ne regarda même pas les documents et d'un signe de tête, leur dit de passer. Son voisin, par contre, se jeta sur celui de la hippie et commença à en éplucher toutes les pages... Andrea et Malko s'éloignèrent vers la sortie, située au milieu de la gare. Ils y étaient presque parvenus lorsqu'ils entendirent un brouhaha derrière eux. Malko se retourna et sentit son cœur monter dans sa gorge. Un des policiers brandissait un papier en hurlant, tandis que son voisin maintenait tant bien que mal un jeune homme qui se débattait.

Tim-Yo!

La bagarre fut très courte. Tout à coup, Tim-Yo réussit à se libérer, s'adossa à un wagon, brandissant quelque chose dans sa main droite. Aussitôt ceinturé par un des policiers. Un policier sortit un pistolet et tira en plein dans le ventre du jeune étudiant.

Malko vit distinctement l'objet rond s'échapper de ses doigts tomber et rebondir sur le sol.

– Qu'est-ce qui se passe? demanda Andrea.

Malko n'eut pas le temps de répondre. Une sourde explosion ébranla la gare. Des gens s'écroulèrent dans un nuage de fumée et Tim-Yo disparut sous un wagon. Malko sentit ses yeux le piquer. Ils avaient cru qu'il bluffait avec sa grenade... La confusion était à son comble. Des soldats couraient dans tous les sens, les gens s'enfuyaient et plusieurs corps demeuraient étendus, là où la grenade quadrillée avait explosé.

– Eloignons-nous, fit Malko. Tim-Yo a été intercepté. Il est mort.

Il risquait d'y avoir des contrôles et il ne pouvait plus rien pour Tim-Yo. Entre la balle dans le ventre et les éclats de grenade, le malheureux n'avait aucune chance... Ils débouchèrent sur une grande place d'où partait une large avenue rectiligne filant jusqu'à l'horizon, assaillis aussitôt par des conducteurs de rickshaws dépenaillés... Mandalay était une ville plate et élégante, pleine de verdure, qu'on aurait pu croire américaine, toutes les voies se croisant à angle droit.

– Voilà mon mari, annonça Andrea.

Un homme grand et élancé, avec une superbe moustache rousse, venait de sauter d'une vieille jeep datant de la Seconde Guerre mondiale, conduite par un vieux Birman aux chicots rouges de bétel. Il s'avança vers eux, embrassa Andrea sur les joues et serra la main de Malko, en se présentant.

– Malko Linge travaille avec nos amis de l'ambassade, expliqua la jeune femme.

– Bienvenue à Mandalay, dit courtoisement le mari d'Andrea. Le temps est délicieux en ce moment, bien qu'il y ait un peu de poussière. Vous descendez aussi au *Mandalay Hotel*?

Andrea et Malko échangèrent un regard éloquent. La jeune femme dit d'un ton dégagé :

– Il veut d'abord voir quelques antiquaires, ensuite, je crois qu'il va à Pagan, n'est-ce pas? Je vais l'accompagner si tu n'y vois pas d'inconvénients.

– Bien sûr, accepta-t-il immédiatement.

Ils prirent place dans la jeep, Malko et Andrea à l'arrière. On se serait cru revenu cinquante ans plus tôt : presque pas de voitures, mais des centaines de cyclopousses et de bicyclettes. Ils débouchèrent dans une avenue longeant d'interminables remparts protégés par de profondes douves.

– Voilà l'ancien palais royal, expliqua Andrea, le cœur de Mandalay. Les Anglais l'ont bombardé pendant la guerre et il n'y a plus à l'intérieur qu'un parc et des camps militaires.

Le *Mandalay Hotel*, face aux remparts de l'ancien Palais Royal du Roi Mindon, avec son hall en plein vent et son unique étage, ressemblait à un gros motel. Le mari d'Andrea prit ses bagages et descendit.

– A tout à l'heure, cria Andrea.

Malko déplia le papier donné par Tim-Yo. Il y avait un plan assez bien fait. L'endroit qu'il cherchait se trouvait à côté de Zegyo Market, dans la 82ᵉ rue entre 22 et 23 Road.

Le chauffeur au bétel repartit et les y amena.

– Tu vas retrouver l'endroit? demanda anxieusement Andrea.

– Je l'espère, dit Malko.

Il disposait d'un temps limité. Tim-Yo allait sûrement être identifié et le général Latt risquait d'en conclure que Malko se trouvait aussi à Mandalay. Donc, les recherches seraient intensifiées de ce côté. Un étranger dans cette ville, où il n'y en avait pratiquement pas, ne passerait pas longtemps à travers les mailles du filet...

Ils s'éloignèrent à pied vers la pagode, laissant le chauffeur dans la jeep. Les gens les regardaient curieusement. Malko consulta son plan. Ils tombèrent sur la petite impasse indiquée qu'ils suivirent jusqu'à une sorte de cabane en retrait. Malko poussa une porte.

Des centaines de Kalagas s'entassaient partout, aux murs, sur le plancher, mêlés à de fausses antiquités et à quelques marionnettes. Une grosse Birmane émergea de derrière une pile de Kalagas et les accueillit avec un sourire commercial. Elle parlait à peu près anglais. D'une voix imperceptible, elle chuchota à l'oreille de Malko :

— Vous voulez des rubis?

A tout hasard, il accepta. Elle les conduisit dans une seconde pièce encore plus petite et, avec des airs mystérieux, sortit d'un coffre des bouts de verre rosâtres dont elle demandait des prix fous. Ils avaient assez joué. Malko lui tendit le message remis par Tim-Yo.

La matrone le parcourut puis le glissa dans son corsage.

— Où est Tim-Yo?

— Il ne vient pas tout de suite, mentit Malko.

La nouvelle laissa la vieille de glace. Visiblement, elle jaugeait Malko, se demandant ce qu'il pouvait rapporter. Ce n'était pas Sœur Teresa.

— Tim-Yo m'a dit que vous aviez une filière pour sortir de Birmanie, dit-il. Je suis prêt à payer.

— C'est difficile, pleurnicha la matrone. Il faut revenir ce soir.

Malko hésita : se promener dans Mandalay représentait un risque énorme. Cela devait fourmiller de mouchards. Andrea glissa à son oreille :

— Viens au *Mandalay Hotel*.

Le premier endroit où on viendrait le chercher.

— Je préférerais attendre ici, suggéra Malko.

La matrone ne demanda pas pourquoi. Elle ouvrit simplement une porte donnant sur un atelier où des fillettes d'une douzaine d'années tissaient des Kalagas, accroupies à même le sol. Des enfants... Les droits de l'homme n'avaient pas pénétré jusque-là. Certaines étaient maquillées violemment à la birmane, ce qui leur donnait l'air de Lolitas exotiques, avec leurs grosses bouches et leur regard limpide. La plus âgée, ses cheveux noirs retenus par un peigne en ivoire, devait avoir seize ou dix-huit ans. Ravissante avec son visage triangulaire, sa grosse bouche rouge et son regard effronté. Elle soutint celui de Malko, pas gênée du tout. Ensuite, il y avait un hangar, encombré de meubles, de bois sculptés dorés, de bouddhas, de statues. Malko comprit immédiatement de quoi il s'agissait : un entrepôt clandestin d'objets d'art destinés à la Thaïlande. Il y avait même quelques tambours de bronze authentiques, qui valaient des fortunes à Bangkok. Andrea regardait autour d'elle, d'un air dégoûté. La grosse Birmane installa à Malko une couche de Kalagas et lui glissa :

— Je vais parler en votre faveur aux marchands qui viennent ce soir, dit-elle. Mais ils sont très durs...

Le message était clair.

— Si tout se passe bien, dit Malko, vous aurez deux cents dollars.

Comme il fallait encourager les bonnes volontés, il lui en tendit tout de suite vingt. Au marché noir, mille kyats, une fortune. Andrea regarda sa montre avec nervosité.

— Il faut que j'y aille. Comment faisons-nous ?

— Reviens ce soir, demanda Malko. Mais ton mari...

— Je vais lui dire la vérité. Il s'en moque.

Ils s'étreignirent sous l'œil lubrique de la grosse qui ramena Andrea à la lumière. Malko vérifia son pistolet extra-plat et s'installa tant bien que mal dans la poussière. Un peu plus tard, la porte s'ouvrit et il sursauta. Ce n'était que la « contremaîtresse » qui venait chercher une grosse bobine de fil. Elle s'approcha de lui avec un sourire accrocheur et tendit la main, bredouillant quelque chose en birman. Il lui donna cinq kyats qu'elle serra sur son cœur avec un sourire ambigu.

Malko inspecta son réduit : pas de seconde sortie. S'il prenait fantaisie à la grosse Birmane de le dénoncer, il avait peu de chances de s'en sortir. Il pensa avec amertume aux bureaucrates de la CIA en train de tirer des plans pour sauver la Birmanie... Seul Mike Roberts devait vraiment se faire du souci. Pourvu que la filière d'exfiltration fonctionne.

*
**

Ils étaient trois, tous chinois. Deux hommes jeunes, les cheveux courts et une femme avec de grosses lunettes, un pantalon sans forme et une tête de grenouille. Ils étaient entrés dans le sillage de la matrone et avaient pris place autour de Malko, accroupis comme des hyènes. La grosse Birmane était restée debout, appuyée à une vitrine, faisant l'interprète.

— Ils ont un camion qui part cette nuit, dit-elle, avec tout ce qu'il y a ici. Ça va à Chiang Mai.

— Ils peuvent m'emmener?

Traduction. Ils ne parlaient que chinois et birman. Leurs yeux noirs, froids et fixes, jaugeaient Malko, se demandant ce qu'ils pouvaient en tirer. L'un d'eux laissa tomber quelques mots.

— Ils ont déjà emmené des gens, mais c'est très difficile, traduisit la grosse antiquaire. Il y a des barrages sur les routes et les soldats sont très nerveux. Après, il faut encore s'arranger avec les Karens. Ils ont peur.

Ça, c'était pour faire monter les enchères. On était en Asie, ces contrebandiers qui faisaient le parcours tout le temps étaient forcément organisés, payant leur dîme à tous... Malko insista.

— Il faut que je parte très vite. Tim-Yo m'avait promis qu'ils me prendraient.

La réponse tomba comme un couperet.

— Tim-Yo est mort, il a été imprudent, dit la grosse.

Traduction chinoise de « fools die ». Les nouvelles allaient vite et les prix risquaient de s'en ressentir. La fille posa une question, relayée aussitôt.

— Combien veut-il payer?

Le piège naïf. Malko répliqua.

— Combien veulent-ils?

Brève rafale de mots, puis la matrone lança en se léchant les babines.

— Cinq mille dollars US.

Deux cent cinquante mille kyats. De quoi acheter la ville... Malko eut un geste dédaigneux.

— Dans ce cas, je reste.

Vivement, la fille enchaîna, aussitôt traduite :

— Combien offre-t-il?

— Mille dollars.

Hochements de tête ironiques, soupirs, les deux hommes se relevèrent, interceptés aussitôt par la matrone qui lança un regard désespéré à Malko.

— Mille cinq cents! lança ce dernier.

C'était reparti. Au bout d'une heure on en était à deux mille cinq tout de suite, et mille à l'arrivée. La fille lança soudain une phrase méfiante traduite par la matrone.

— Vous avez l'argent?

Tranquillement, Malko sortit les liasses et le pistolet, comme par hasard. De façon à étouffer dans l'œuf des tentations malsaines... Les sourires revinrent sur la face des Chinois.

— C'est d'accord?

— Oui, on attend le chauffeur.

Dix minutes plus tard, un nouveau Chinois apparut, un peu plus âgé. On le mit au courant, dans un caquètement aigu, et Malko vit tout de suite que le deal ne lui convenait pas. Accroupi, il se mit à parler à toute vitesse avec des gestes furieux. Ils changeaient tous de visage. La matrone, effondrée, finit par traduire.

— Il ne veut pas. Il dit que c'est trop dangereux, parce que vous êtes étranger.

Encore un marchandage... Frappant un grand coup, Malko annonça :

— Je lui donne, en plus, cinq cents dollars, rien que pour lui.

Traduction. Le regard du chauffeur vacilla, puis il secoua lentement la tête et lâcha une longue phrase en chinois.

– Il dit que la proposition de l'Oncle est très généreuse, mais qu'il ne peut pas l'accepter. Les soldats ne le laisseraient pas passer et risquent de les tuer tous. Fini parler.

Le chauffeur se releva et quitta la pièce. Imité à regret par les trois autres Chinois. Malko demeura seul avec la matrone catastrophée. Il avait l'impression d'avoir reçu un coup de poing en plein visage. Cette fois, la dernière porte venait de se fermer. Si ces forbans refusaient, c'est vraiment que les risques étaient énormes. Tim-Yo les aurait peut-être convaincus... Il était coincé à Mandalay définitivement.

La matrone s'accroupit à côté de lui et proposa :

– Vous pouvez rester ici longtemps. Vous me donnez vingt dollars par jour...

Elle souriait, bien immonde. Ensuite, ses dollars épuisés, elle le balancerait pour toucher la prime. Hélas, provisoirement, il était obligé d'accepter. A tout hasard, il lui demanda si elle connaissait une autre filière, mais elle hocha la tête négativement. Une petite mine d'or comme ça, on la garde pour soi...

Elle s'éloigna, refermant la porte derrière elle, laissant Malko à ses sombres pensées.

Malko sursauta quand la porte s'ouvrit. C'était Andrea.

– Alors, quand pars-tu? demanda-t-elle.

– Je ne pars plus.

Elle se décomposa quand Malko lui raconta sa dernière mésaventure.

– C'est terrible, fit-elle, on nous a posé de drôles de questions à l'hôtel. Sur la personne qui se trouvait avec moi dans le train. J'ai fait semblant de ne pas comprendre. Ou bien ce sont des ordres de Rangoon, ou ils pensent que je trompe mon mari et ils sont curieux. Ce sont les types de Myanma Travel qui travaillent tous avec les Services...

– Ils ne t'ont pas suivie?

– Je ne pense pas, et je me suis arrêtée dans plusieurs boutiques avant celle-ci. Que vas-tu faire?

C'est justement la question que se posait Malko depuis le départ des Chinois... Sans y apporter de réponse. Seul, il était inutile de chercher à gagner la frontière. Revenir à Rangoon était hors de question. Et rester à Mandalay revenait à se livrer à plus ou moins brève échéance. L'impasse totale. Andrea le regardait anxieusement.

– En plus, dit-elle, je pars au lac Inlé demain avec mon mari et tout un groupe de touristes et de diplomates. Pour trois jours.

– Comment?

– En avion, un Fokker 27. Nous couchons là-bas.

– Où se trouve le lac Inlé?

– A mi-chemin entre la frontière et ici. C'est un superbe endroit. Nous avons dû avoir une autorisation spéciale du gouvernement, car personne n'y va. C'est une zone interdite.

– Il n'y a que des touristes dans cet avion?

– Oui, je pense. Plus deux guides de Myanma Travel.

Malko la fixa avec un sourire en coin.

– Eh bien, voilà un moyen de rentrer chez moi.

Andrea le regarda sans bien comprendre et il précisa :

– Je vais détourner l'avion. Il emporte bien assez d'essence pour aller à Chiang Mai, de l'autre côté de la frontière.

CHAPITRE XXI

Andrea, affolée, secoua la tête avec incrédulité.

– Tu plaisantes! L'aéroport est surveillé et tu ne pourras pas passer avec ton pistolet, ils ont des détecteurs magnétiques.

– Ecoute, dit Malko, c'est ma seule chance. Ou alors je reste dans ce trou à rats jusqu'à ce que les policiers birmans viennent me cueillir. Je vais essayer de monter à bord, et d'ordonner au pilote, plus tard, de changer de route.

– Si le pilote refuse de t'obéir, que feras-tu?

– C'est le risque, avoua Malko. Mais je pense qu'il ne voudra pas mettre en jeu la vie de diplomates étrangers.

– Même sans pistolet, comment vas-tu arriver à bord? Tu ne peux même pas acheter de billet, c'est un vol spécial.

– Tu peux m'aider, dit-il. Il faut mettre ton mari dans le coup. Qu'il accepte de me laisser sa place. Y a-t-il un contrôle de police au départ?

– Non, mais...

Il la prit par les épaules, plongeant dans ses prunelles le regard magnétique de ses yeux dorés.

– Andrea, tu es mon dernier espoir. Il faut que tu convainques ton mari. A quelle heure est ce vol?

– Neuf heures.

– Viens me chercher ici à huit heures.

Il la mit presque dehors. Jouant sa dernière carte. L'angoisse lui tomba sur les épaules dès qu'il se retrouva seul. C'était une folle tentative. Détourner un avion à lui tout seul... Mais tout valait mieux que pourrir dans ce trou. La rage de se venger le poussait encore plus que la peur. Et aussi le désir de retrouver la vie à laquelle il était habitué. Les bals dans les châteaux de Haute-Autriche, les jolies femmes, la vodka et le caviar, tout ce pourquoi il risquait sa vie. Il fallait absolument s'accrocher à ces souvenirs pour ne pas déprimer.

Il ferma les yeux, revoyant Alexandra installée dans un de ces grands et profonds canapés autrichiens, en face de lui, s'amusant à croiser et à décroiser les jambes, pour son plus grand plaisir et celui de son voisin, un jeune banquier de Salszburg. Ce jour-là, elle portait des bas gris foncés retenus par des jarretelles blanches très fines. A chacun de ses mouvements, il apercevait une bande de chair blanche se perdant dans l'ombre du ventre et cela l'excitait comme un collégien... Elle avait le sens de l'érotisme, un goût inné du plaisir, dont il profitait hélas trop peu. Quand elle se levait pour aller chercher un verre, la courbe de ses reins lui donnait envie de la culbuter sur-le-champ, sur la fourrure d'ours blanc en face de la cheminée, de la sodomiser comme un koulak, au besoin même devant ses invités. Sa croupe somptueuse lui donnait des envies de viol.

Il s'aperçut brusquement que son fantasme l'avait excité, au moment où la porte s'ouvrait. C'était la « contremaîtresse » qui lui apportait une assiette de riz frit et du Coca. Elle posa le tout par terre, mais au lieu de s'en aller, s'installa en face de lui. Son regard descendit pour s'immobiliser juste sur la protubérance de son bas-ventre.

Visiblement ce phénomène la fascinait. Son maquillage et cet air gourmand de Lolita en manque fit basculer Malko du fantasme à une réalité tout aussi érotique. Il essaya de manger son riz mais cela ne passait pas. Il posa son assiette. Aussitôt, la jeune

Birmane s'approcha, sa tête s'abaissa et elle posa sa
grosse bouche maladroitement maquillée à l'endroit qui
l'intéressait. Le contact de ses lèvres chaudes et épaisses
accentua le trouble de Malko. Elles ne bougeaient pas,
appuyant simplement et lui communiquant leur chaleur... C'était merveilleusement obscène et horriblement
excitant. Il avait beau s'efforcer d'évoquer son dangereux départ du lendemain, il sentait le sang affluer dans
son ventre.

A cette heure tardive, l'atelier devait être fermé...
Soudain, la « contremaîtresse » glissa la main dans la
poche de Malko, voulant probablement le caresser. Ses
doigts tombèrent sur un rouleau de billets. Elle le retira,
extasiée et l'examina à la lumière. Avec soin, elle en
détacha un de cent dollars et le montra à Malko,
désignant sa poitrine.

Il ne put s'empêcher de sourire et elle plia le billet, le
glissant dans son corsage déjà un peu rempli. Cette fois,
elle se mit au travail, défaisant maladroitement la
fermeture-Eclair, écartant ce qui la gênait jusqu'à ce
qu'elle tienne à deux mains la hampe raide.

Elle se mit à la secouer avec douceur et presque
ferveur, puis s'agenouilla et Malko sentit de petits
coups de langue agacer le bout de son membre tendu.
Elle se comportait en vraie petite salope, pas du tout
intimidée par cette grosse chose dure qui se balançait
devant ses yeux. Soudain, elle se leva et d'un geste
preste, défit le nœud de son longyi. Faisant apparaître
des fesses rondes et des cuisses fuselées. Elle pesa
doucement sur ses épaules pour qu'il s'allonge. Aussitôt, elle l'enjamba et avec une sûreté diabolique, s'em-
pala sur lui. Malko eut l'impression que son membre
était serré dans une gaine étroite, élastique et humide.
Avec une grimace comique, sa partenaire se laissait
descendre sur lui, s'empalant de plus en plus.

Visiblement, ce n'était pas la première fois qu'elle se
livrait à ce jeu.

Les deux mains appuyées sur la poitrine de Malko,
elle se lança dans un trot effréné, maîtrisant soigneuse-

ment l'enfoncement du membre trop gros pour elle. Ce qui semblait l'amuser prodigieusement.

Presque aussitôt, Malko explosa dans son ventre. La jeune Birmane se dégagea avec grâce.

En un clin d'œil, elle eut remis son longyi, ramassé le plat de riz et s'enfuit silencieusement nu pieds, comme un petit fantôme érotique... Laissant Malko un peu sur sa faim. L'image d'Alexandra revint au galop et il se dit qu'avec elle ce n'eût été qu'un commencement.

Le plaisir enfui, l'angoisse réapparut. Il vivait peut-être ses dernières heures... Il se cala tant bien que mal sur le lit de Kalagas, son pistolet extra-plat à portée de la main. La nuit allait être courte.

Le jour réveilla Malko avant sept heures. Il se sentait sale, n'était pas rasé et ses vêtements ressemblaient à des chiffons. Il resta là jusqu'à ce que sa jeune « maîtresse » lui apporte un thé amer et noir avec un sourire complice.

Il rongea son frein jusqu'à sept heures et demie, l'estomac noué. Andrea avait-elle réussi? Elle arriva à huit heures moins le quart. Seule avec le chauffeur de la jeep.

— Tout est arrangé, fit-elle... Nous allons directement à l'aéroport.

— Si cela se passe bien pour moi, que va-t-il vous arriver?

Elle eut un geste fataliste.

— Nous serons expulsés, mais cela vaut la peine...

Tandis qu'ils longeaient les remparts de l'ancien palais, Andrea insista à nouveau :

— Tu es certain que tu ne veux pas changer d'avis? C'est de la folie, ce que tu vas tenter.

— Je n'ai pas le choix, répliqua Malko.

Andrea lui serra très fort la main.

— J'ai peur, dit-elle. Pour toi surtout.

Ils approchaient de l'aérogare. Le ciel était radieux.

Peu de monde autour du petit aéroport desservi uniquement par les vols intérieurs, quand il y avait des avions... Un petit groupe attendait devant l'aérogare, tous des étrangers. L'ambiance semblait particulièrement détendue, quelques soldats bayaient aux corneilles à l'entrée du bâtiment de l'aérogare.

— J'ai dit aux gens qui sont ici que Charles était tombé brutalement malade et que tu étais un ami allemand de passage, que tu utilisais son billet, expliqua Andrea. Je vais m'occuper des cartes d'embarquement.

Pendant qu'Andrea se dirigeait vers le comptoir Malko commença à observer les lieux. Le Fokker 27, un appareil à aile haute, turbo-prop, d'une cinquantaine de places, était garé juste en face de l'aérogare.

Il s'immobilisa devant une grande carte de Birmanie encadrée au mur. La distance entre Mandalay et le lac. En tout, environ 1300 kilomètres. Le rayon d'action du Fokker 27 était de 1500. Cela devait coller. A environ 400 à l'heure de vitesse de croisière, trois heures après le décollage il serait en Thaïlande.

Andrea revenait vers lui.

— J'ai les cartes d'embarquement, annonça-t-elle.

Malko ne l'entendit pas, glacé d'angoisse. Deux militaires venaient de prendre possession du portique magnétique et l'activaient. Il commandait la salle d'attente où un panneau annonçait : *Flight 675 Helio Airport.* L'aéroport du lac Inlé. Il ne franchirait jamais le portique avec son pistolet. Or, sans arme, il n'y avait plus de détournement possible... Enrageant, il demeura le regard glué aux militaires. Andrea avait raison : ce qu'il tentait se révélait impossible, c'était une impasse. Andrea, qui avait vu aussi les soldats, lui serra le bras et souffla à son oreille.

— Je t'avais dit que ce serait impossible.

Le général Thiha Latt sortit en trombe de son bureau et sauta dans sa Toyota Land-cruiser. Tordu de fureur.

Le rapport concernant la mort de Tim-Yo avait mis plus d'une journée pour lui parvenir... Or, si l'étudiant se trouvait à Mandalay, l'agent de la CIA y était aussi sûrement.

— Conduis-moi à l'aéroport! ordonna-t-il au chauffeur.

Il voulait lui-même diriger les recherches. Mandalay était plus facile à fouiller que Rangoon. C'était aussi un cul-de-sac. La frontière la plus proche était celle de la Chine et de ce côté-là, il n'y avait rien à craindre... Pendant les vingt minutes du trajet, il ne décolèra pas. Arrivé à l'aéroport, il se dirigea immédiatement vers la tour de contrôle.

— J'ai besoin d'un avion! annonça-t-il. Pour aller à Mandalay.

Le responsable consulta son tableau et secoua la tête.

— Il n'y en a pas pour le moment.

L'aviation birmane était réduite à sa plus simple expression. Les appareils militaires hors de souffle, les généraux tapaient dans les civils des Myanma Airways. Le problème, c'est qu'en dix ans, ils étaient passés de quinze à cinq... Avec un unique Fokker 28 à réacteur pour les liaisons internationales et certains vols sur Mandalay.

Le général Latt foudroya son subordonné du regard.

— Il m'en faut un. Absolument.

L'officier regarda à nouveau son tableau. Il hocha la tête.

— Nous avons un Fokker 27 qui effectue un vol spécial pour le lac Inlé avec des diplomates, proposa-t-il.

— Annulez le vol, lança Thiha Latt, et faites revenir l'appareil immédiatement sur Rangoon. Je veux qu'il soit ici dans deux heures...

**
*

Depuis vingt minutes, il ne se passait rien dans l'aérogare de Mandalay alors que l'heure du départ pour le lac Inlé était largement dépassée. Les gens de Myanma Travel semblaient très affairés et les passagers commençaient à s'impatienter. Andrea Meyer et Malko étaient perplexes. Les Birmans avaient beau leur affirmer qu'il ne s'agissait que d'un retard technique, c'était de plus en plus bizarre. D'autant que l'équipage du Fokker était à bord, dans le cockpit.

– Regarde!

Andrea désignait les policiers chargés de contrôler le départ du vol : abandonnant le portique magnétique, ils venaient de disparaître dans une petite pièce. Quant au chariot à bagages, il était au milieu de la piste, abandonné.

– Cela sent mauvais, dit Malko.

L'angoisse lui nouait la gorge. Tout à coup, le ronflement d'un des turbos de l'appareil les fit sursauter. Une des hélices commençait à tourner. Au même moment, la représentante de Myanma Travel prit un micro et annonça d'une voix mal assurée :

– Nous sommes désolés, le vol est retardé de quelques heures, nous allons vous ramener à l'hôtel.

Andrea se précipita vers elle.

– Que se passe-t-il?

Dépassée, la Birmane bredouilla :

– Une personnalité très importante a besoin de cet avion. Il va faire une rotation sur Rangoon et revenir. Nous partirons après le déjeuner, ce n'est rien.

Pendant qu'elle parlait, le second turbo fut mis en route. Deux employés se dirigeaient sans se presser vers l'appareil afin de retirer l'échelle de coupée et de fermer la porte. Le sifflement des turbo-props couvrait le concert de protestations... Malko regarda la porte ouverte sur la piste, sans aucune surveillance. Jamais il ne retrouverait une aussi belle occasion. Il se pencha dans le cou d'Andrea et l'embrassa légèrement.

— Au revoir! A bientôt, à Bangkok ou ailleurs.

D'un pas décidé, il se dirigea vers la porte, son sac Shan à l'épaule, et la franchit. Le représentant de Myanma Travel s'en aperçut avec un certain retard et le rappela... sa voix couverte par le tumulte ambiant. Il partit aussitôt à sa poursuite, coudes au corps. Mais Malko avait trop d'avance. Il grimpa d'un bond dans la cabine du Fokker et referma la porte derrière lui.

***
***

L'équipage du Fokker adressa un regard surpris à Malko en le voyant surgir dans le cockpit, qui se transforma en grimace, quand ils virent le pistolet braqué sur eux. D'un geste rapide, Malko arracha les écouteurs du pilote et lui cria en anglais dans les oreilles :

— Décollez immédiatement ou je vous tue.

Le canon du pistolet extra-plat enfoncé dans le cou du pilote donnait un certain poids à ces paroles. Le Birman hésita, tenta de tergiverser. Sa main posée sur le manche pressa le bouton déclenchant l'émission radio permanente en direction de la tour de contrôle. Malko, détournant légèrement le canon, appuya sur la détente, visant le plancher... Le projectile frôla le genou du pilote qui fit un bond sur son siège, assourdi par la détonation. La voix de la tour de contrôle sortit du haut-parleur, visiblement intriguée par le bruit, demandant ce qui se passait. Malko savait qu'il avait très peu de temps. Il ramena l'extrémité du canon encore chaude derrière l'oreille du pilote birman et l'avertit.

— Si vous ne commencez pas votre procédure, je vous abats et le second pilote décollera à votre place.

Cette fois, le pilote n'hésita pas. Il acheva sa check-list, vérifiant la position des volets, la procédure en cas de pépin à un moteur, récapitulant les vitesses V 1 et

V 2 et affichant la puissance. Puis, il lâcha les freins et commença à rouler.

Le Fokker 27 atteignit la piste. La tour ne posait plus de questions. Malko était en sueur et pas seulement à cause de la chaleur. Soudain, il aperçut un véhicule qui s'approchait à toute vitesse, venant de l'aérogare, rempli de soldats. Cette fois, l'alerte avait été donnée.

Il augmenta la pression sur le cou du pilote. Le Fokker, aligné, était prêt à partir.

— Allez-y tout de suite! Si vous obéissez, tout se passera bien pour vous.

Le pilote, aussitôt, débloqua les commandes, les essaya et lança au copilote :

— Puissance de décollage.

Le Fokker commença à rouler et prit de la vitesse. Un petit choc sept cents mètres plus loin, les roues quittaient le sol, le train rentra. Malko jeta un coup d'œil aux deux jauges : les réservoirs étaient pleins.

Il se pencha vers le pilote et dit :

— Vous mettez le cap sur Chiang Mai.

L'autre secoua la tête.

— Je n'ai pas assez de kérosène.

— Dans ce cas, prévint Malko, nous nous écraserons dans les montagnes.

En-dessous de lui, Mandalay ressemblait à un grand damier avec la tache verte du palais et les pagodes de Mandalay Hill. Il pensa, plein de reconnaissance, à Andrea.

Malko se pencha, prit la carte sur les genoux du pilote, l'examina rapidement et annonça :

— Cap 150. Niveau 250. Si vous déviez, je vous abats.

Devant lui, le ciel était entièrement vide. Ils pouvaient voler à vue. Dans le lointain, on apercevait les crêtes mauves des montagnes du pays Shan. De l'autre côté, il y avait la liberté.

**
*

Le contrôleur de Rangoon raccrocha son téléphone et annonça au général Thiha Latt :

— L'appareil vient de décoller de Mandalay. Il sera ici dans une heure environ.

— Très bien, fit le général, faites-moi venir un thé et un peu de riz.

Il alluma une cigarette, satisfait. A Mandalay, il donnerait un nouvel élan aux recherches et finirait par rattraper l'homme de la CIA. Ensuite, il pourrait enfin avoir un beau procès.

**
*

Le pilote tourna vers Malko un visage visiblement stressé.

— Nous n'arriverons pas à Chiang Mai. Il me reste vingt minutes de pétrole.

Malko voyait qu'il ne mentait pas. Le vol s'était déroulé sans anicroche, aucun contact radio n'ayant été pris. Il consulta la carte et découvrit soudain ce qu'il cherchait.

— Nous allons nous poser à Mae Hong Son, ordonna-t-il. C'est tout près.

Un petit terrain juste après la frontière birmo-thaï avec une piste de 600 mètres. En plein dans les montagnes. Heureusement, le temps était clair. Le pilote inclina l'appareil légèrement vers le sud et commença sa descente. Les collines couvertes de jungle moutonnaient à perte de vue. Quelque part, invisible, la frontière. Le pilote se mit à appeler la tour de Mae Hong Son.

Un peu plus tard, le terrain apparut, encaissé entre deux crêtes. Le pilote et le second commencèrent leur approche. Le Fokker tanguait et se balançait. Enfin, il piqua du nez vers le ruban du *runway* et quelques instants plus tard, les roues touchèrent le sol, puis il roula près de 400 mètres.

Les pilotes birmans semblaient nettement soulagés. Malko rentra son pistolet extra-plat. Il venait de lui rendre le plus grand service de sa carrière... Le Fokker 27 s'arrêta devant un bâtiment de bois. Aucun autre avion en vue. Une voiture fonçait vers eux avec deux policiers thaïlandais. Malko ouvrit la porte arrière, sauta à terre et se dirigea vers eux en souriant.

*
**

– *The dream is over...*(1)

Il y avait de la tristesse et de la compréhension dans la voix de Malko. A côté de lui, Mike Roberts hocha la tête, la gorge nouée, se rappelant ce qu'il avait dit lors de leur première rencontre. L'opération de rapprochement entre Aung San Suu-Kyi et le général Latt était un rêve. Qui s'était transformé en cauchemar.

Avidement, l'homme de la CIA regardait les néons flamboyants des publicités le long de la route de Don Muang. Il quittait la Thaïlande. Définitivement. Nommé à Washington par la Company. Une punition. A cause de l'échec sanglant d'une mission à laquelle il avait cru à 100 %. Et puis de ses efforts avec la police thaï pour éviter à Malko d'être jugé comme *hi-jacker*. Mike Roberts avait fait jouer douze ans de relations, mais il y avait eu des retombées. Les Thaïs n'aimaient pas qu'on leur force la main... Finalement, l'affaire avait été étouffée en dépit des cris d'orfraie des Birmans.

Malko savait ce que cela coûtait à Mike Roberts de quitter sa Thaïlande adorée. Le gros homme semblait s'être fripé d'un coup. Lui, si jovial, ne desserrait pas les lèvres. Le taxi s'engagea dans la rampe menant à Don Muang, aux départs. Malko embarquait sur le vol Air France Seoul-Bangkok-Paris qui permettait aux businessmen de se détendre en Thaïlande après l'austère

_____

(1) Le rêve est fini.

Corée. Il consulta le tableau d'affichage : le vol était à l'heure. Une employée prit son billet Le Club :

— Vous allez jusqu'à Vienne, dit-elle. Désirez-vous une voiture à l'arrivée?

— Non, merci, dit Malko.

Il avait déjà téléphoné à Alexandra qui viendrait le chercher à l'aéroport de Swchechat, lui apportant son smoking : ils avaient un grand bal à Vienne, le lendemain soir.

— Bon voyage, dit l'hôtesse. Ce soir vous aurez le choix entre du poisson, un filet grillé ou notre plat du jour, une choucroute.

Malko prit sa carte d'embarquement. Une brutale fatigue lui tombait sur les épaules et il avait hâte de se retrouver pour une longue nuit de repos dans les sièges douillets du Club. Ce piège birman l'avait épuisé. Dans son métier on ne gagnait pas à tous les coups... Il savait qu'injustement c'est Mike Roberts qui portait tout le poids de l'échec.

Dans l'aérogare, ils consultèrent le tableau des départs. Le vol Panam à destination de Washington avait deux heures de retard. Mike ne parut pas en être affecté. Cela lui donnait un peu de temps pour faire ses adieux. Les deux hommes se serrèrent la main longuement. Mike Roberts dit d'une voix étranglée.

— Vous savez, je ne regrette rien. Si ça avait marché, c'était formidable, nous arrachions la Birmanie à la dictature... Maintenant, personne ne va plus s'en occuper.

Il y avait des larmes dans ses yeux. Malko, ému plus qu'il ne le paraissait, lui adressa un sourire chaleureux.

— Moi non plus, je ne regrette rien.

Son échec lui laissait pourtant un goût amer. Seulement, dans son métier, on ne gagnait pas à tous les coups. Et Tim-Yo, Ma Don, You-Yi et Yé-Wé ne joueraient pas la prochaine partie.

Les dossiers de Scotland Yard
J.B. LIVINGSTONE
TELEPHONE
Les Trois Crimes de Noël

IMPRIMÉ EN FRANCE PAR BRODARD ET TAUPIN
Usine de La Flèche (Sarthe), le 12-04-1990.
1625C-5 - Dépôt Éditeur : 7147.
Dépôt légal : avril 1990.
ISBN : 2-7386-0102-2

◈ 42/5337/3